Ma cuisine ZÉRO DÉCHET

120 RECETTES SANS RIEN JETER
(vraiment rien !)

Delphine Brunet

Éric Fénot

À ma grand-mère Pervenche, qui n'a jamais eu de réfrigérateur et qui pourtant ne jetait rien.

Delphine Brunet

Auteure et styliste culinaire depuis vingt ans, Delphine Brunet est cofondatrice de la revue *180°C*.

Très attachée à la cuisine de saison, bonne et équilibrée, et à l'économie ménagère, elle incite les lecteurs à adopter des recettes flexitariennes — à manger de tout, en petite quantité, mais en utilisant des produits de bonne qualité et en ne jetant rien !

On peut retrouver ses recettes tous les trimestres dans la revue *180°C*, tous les mois dans le magazine *Saveurs* et tous les vendredis dans *Les Cahiers de Delphine*, la newsletter de *180°C* !

Édito

Quand j'étais petite, mon père, ce héros au sourire si doux, me chantait, lors de mes repas interminables, une chansonnette de Brassens : « Tout est bon chez elle, y a rien à jeter, sur l'île déserte il faut tout emporter », car je triais inlassablement mon assiette en mettant de côté les fils de céleri ou de haricots verts, les bouts de gras, les pépins de raisin, les oignons, les bouts d'ail (même bien dissimulés par ma mère), les croûtes de pain, la peau du lait...

La cuisine familiale était alors composée des produits de notre potager. Il ne fallait rien jeter, ne pas gaspiller, utiliser tout ce qui pouvait l'être et finir son assiette. C'est sûrement le souvenir des habitudes prises en temps de guerre, où tout était compté, qui imprima chez mes parents ce goût et cette volonté de ne rien perdre. Quant à moi, fillette à l'esprit de contradiction, je ne l'entendais pas de cette oreille. Je n'aimais que les soupes claires et fades, les raviolis en boîte, tous mous et sucrés, et le lait écrémé sans peau.

J'ai finalement évolué et fini par faire de la nourriture le cœur de mon métier : thérapie ou exutoire ? Toujours est-il qu'après m'être nourrie, durant mes premières années hors du nid familial, de tartines de Nutella®, de thé, de bananes et de pains au chocolat, j'ai redécouvert la joie de cultiver mon potager, d'expérimenter diverses plantations et de faire mes premiers pas en cuisine... En quelque sorte de grandir ! Aujourd'hui, évidemment, je n'envisage plus d'avaler le moindre ravioli en boîte ou de jeter la peau du lait ou les croûtes de pain !

Delphine Brunet

Sommaire

Introduction

Quand on cultive son jardin, on se rend compte que la terre donne beaucoup et que l'on en jette la moitié, par ignorance ou par paresse, mais aussi parce que la société de consommation nous incite à absorber toujours plus et nous fait croire qu'un concombre biscornu est forcément mauvais ou qu'une pomme à la peau brillante sera toujours meilleure. On nous fabrique de nouveaux besoins et on nous pousse à jeter en nous persuadant que c'est une évolution par rapport au mode de vie de nos ancêtres.

En passant d'un extrême à l'autre, nous pouvons trouver un juste milieu en utilisant la nature au mieux, sans pour autant être esclave de sa production. Tout n'y est pas consommable. Il faut rester vigilant et ne pas ingurgiter n'importe quoi par engouement pour une certaine mode de la récup' !

Produire biologique et acheter seulement ce dont on a réellement besoin, cela va de soi. Utiliser au mieux nos achats et nos réserves, tout en se faisant plaisir et en étant créatif : voilà le défi de notre époque, et aussi celui de ce livre. À vous de jouer... maintenant et pour l'avenir !

LE PAIN

Aliment essentiel de nos repas, le pain est malgré tout jeté en grande quantité. Voici quelques recettes pour l'utiliser jusqu'au quignon.

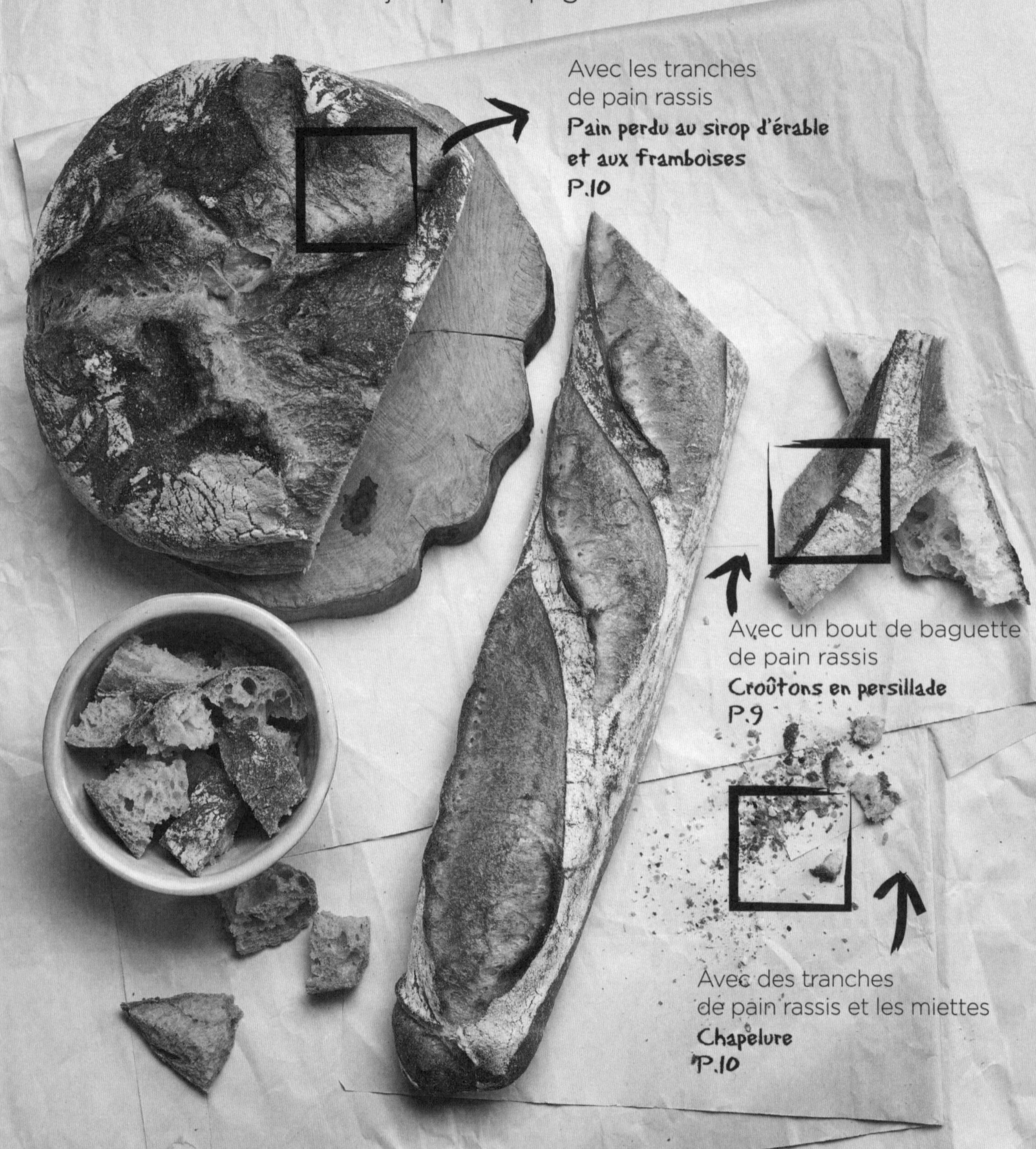

Croûtons en persillade

Pour 4 personnes
Préparation : 10 min
Cuisson : 6 min

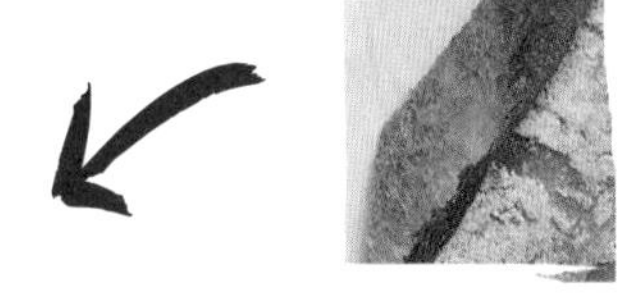

Avec un bout de baguette de pain rassis

- 1/2 baguette de pain rassis
- 10 brins de persil
- 1 gousse d'ail
- 8 c. à s. d'huile d'olive
- Sel et poivre

Coupez la baguette en cubes de 1 cm de côté. Ciselez le persil et l'ail épluché.

Faites chauffer une grande poêle avec l'huile, ajoutez les croûtons, salez, poivrez et dorez 5 minutes en remuant plusieurs fois puis ajoutez la persillade, encore un peu d'huile si besoin et mélangez 1 minute.

Utilisez dans une soupe ou dans une salade.

Les bonnes idées

Récupérez les miettes de pain dans une corbeille à chaque fois que vous coupez du pain et gardez-les dans un bocal pour faire de la chapelure. Pensez aussi à couper votre pain en petits morceaux avant qu'il ne soit trop dur.

Chapelure

Avec des tranches de pain rassis et les miettes

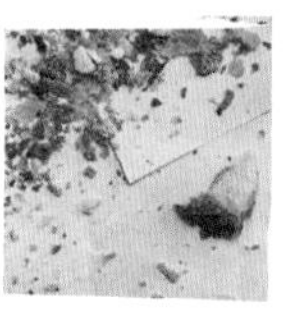

Pour 1 pot
Préparation : 5 min

- 1/2 baguette de pain rassis
- 3 c. à s. de polenta
- Sel et poivre

Coupez le pain en morceaux puis mixez-le dans un robot puissant ou à l'aide d'un pilon.

Ajoutez la polenta, salez et poivrez, puis versez dans un pot avec couvercle.

Saupoudrez la chapelure sur des pommes de terre enduites d'huile d'olive ou sur une escalope de veau, par exemple, et faites cuire au four ou à la poêle.

Le bon conseil

Se conserve 1 mois dans un pot bien fermé à l'abri de la lumière.

Pain perdu au sirop d'érable et aux framboises

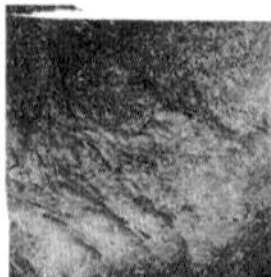

Avec les tranches de pain rassis

Pour 4 personnes
Préparation : 15 min ▪ **Repos** : 15 min ▪ **Cuisson** : 15 min

- 1/2 baguette de pain ou des tranches de pain de campagne un peu rassis
- 2 œufs
- 50 cl de lait
- 6 noix de beurre salé
- 1 sachet de sucre vanillé
- 4 c. à s. de sirop d'érable
- 1 petite barquette de framboises (125 g)

Coupez la baguette en tranches avec une scie à pain. Disposez-les dans un saladier et versez le lait par-dessus. Laissez le pain s'imbiber pendant 15 minutes.

Cassez les œufs dans une assiette creuse puis fouettez-les à la fourchette. Égouttez les tranches de pain en les pressant un peu entre vos mains pour en extraire l'excédent de lait puis enrobez-les d'œuf battu.

Faites chauffer une grande poêle, ajoutez 4 noix de beurre, laissez-le fondre puis disposez des tranches de pain et dorez-les de chaque côté pendant 5 à 8 minutes. Réservez-les sur une assiette au fur et à mesure et saupoudrez-les de sucre vanillé.

Mettez à chauffer le sirop dans la même poêle, ajoutez 2 noix de beurre et les framboises. Faites-les cuire 2 à 3 minutes, puis servez sur le pain perdu.

Pain perdu au sirop d'érable
et aux
framboises

L'AGNEAU ET LE VEAU

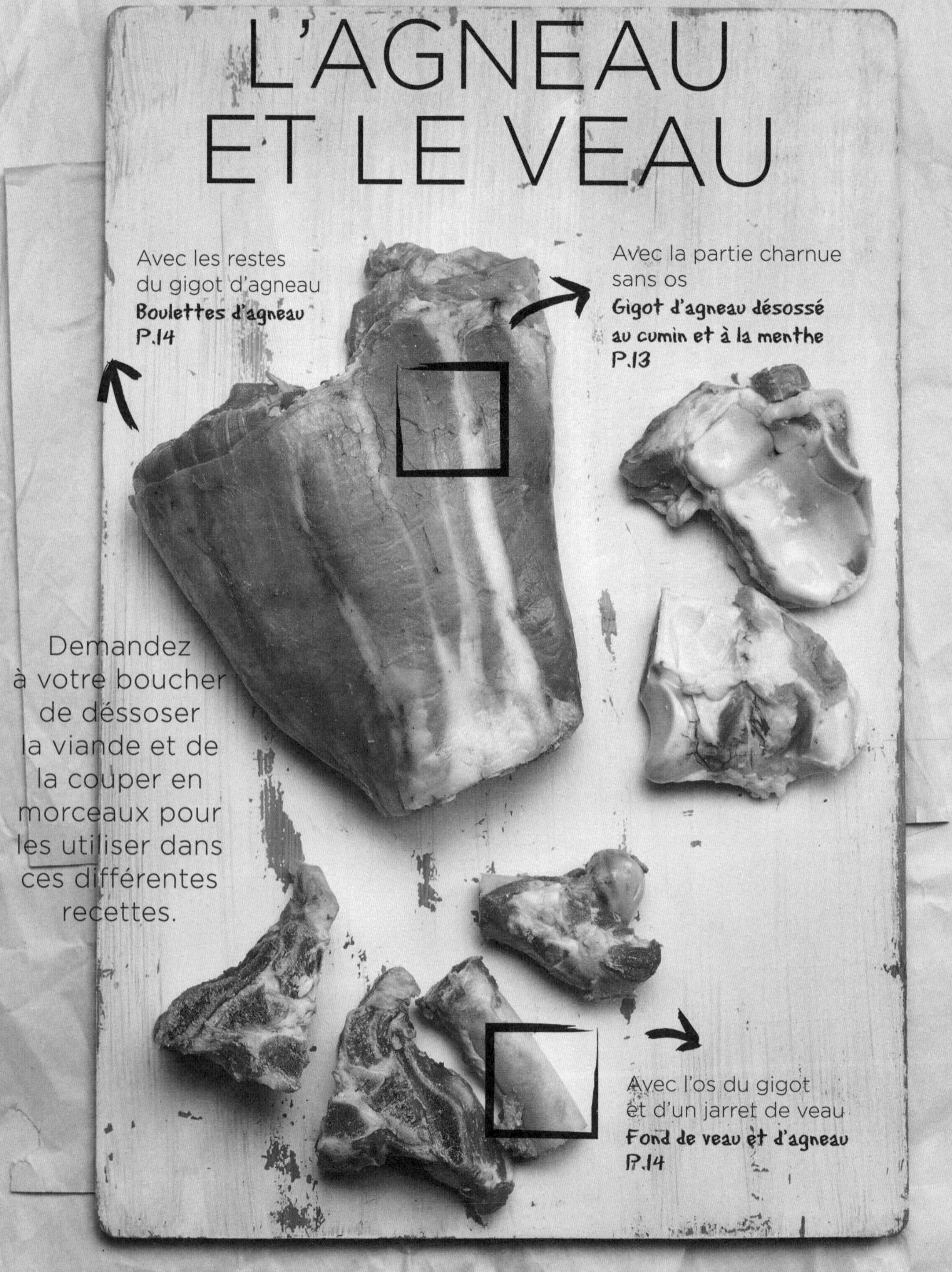

Avec les restes
du gigot d'agneau
Boulettes d'agneau
P.14

Avec la partie charnue
sans os
Gigot d'agneau désossé au cumin et à la menthe
P.13

Demandez
à votre boucher
de déssoser
la viande et de
la couper en
morceaux pour
les utiliser dans
ces différentes
recettes.

Avec l'os du gigot
et d'un jarret de veau
Fond de veau et d'agneau
P.14

Gigot d'agneau désossé au cumin et à la menthe

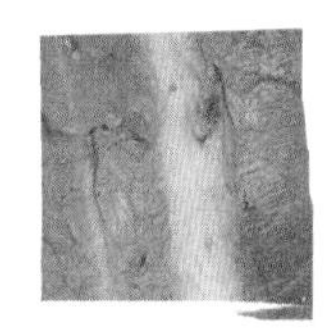

Avec la partie charnue sans os

Pour 4 personnes
Préparation : 15 min
Macération : 1 h
Cuisson : 30 min

- 1 gigot d'agneau de 2,5 kg désossé (gardez l'os coupé en morceaux)
- 1 kg de pommes de terre

Pour la marinade
- 10 brins de menthe + quelques feuilles pour la décoration
- 2 c. à s. de cumin
- 4 c. à s. d'huile d'olive + un peu pour le plat
- 2 c. à s. de miel
- 1 c. à s. de harissa
- 3 gousses d'ail
- Sel et poivre

Préparez la marinade en mélangeant l'huile, la harissa, le miel, le cumin, du sel, du poivre, ajoutez l'ail et la menthe finement ciselés. Versez sur la viande et laissez mariner 1 heure au frais.

Préchauffez le four à 200 °C (th. 6-7).

Lavez les pommes de terre et coupez-les en cubes en gardant la peau. Placez-les dans un plat à four huilé. Salez et poivrez. Disposez la viande par-dessus en gardant le restant de marinade pour servir, puis enfournez pour 30 minutes.

Servez bien chaud avec le restant de marinade et quelques feuilles de menthe.

Boulettes d'agneau

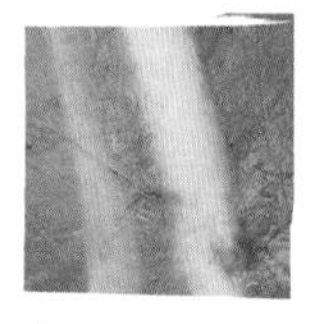

Avec les restes du gigot d'agneau

Pour 4 personnes
Préparation : 15 min ▪ **Cuisson** : 5 min

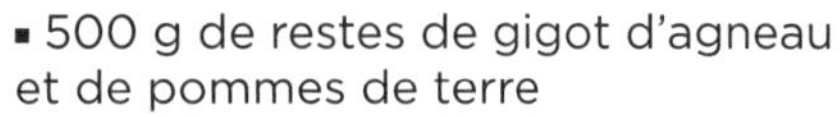

- 500 g de restes de gigot d'agneau et de pommes de terre
- 1 œuf
- 10 feuilles de menthe
- 1 gousse d'ail
- 6 c. à s. de polenta
- 4 c. à s. d'huile d'olive
- 1 c. à c. de cumin
- Quelques feuilles de coriandre
- Sel et poivre

Mixez les restes de gigot et de pommes de terre avec l'ail épluché et la menthe. Ajoutez l'œuf, le cumin, du sel et du poivre. Mélangez bien, puis formez des boulettes entre vos mains préalablement mouillées.

Disposez la polenta dans une assiette puis roulez-y les boulettes.

Faites chauffer une grande poêle avec l'huile, déposez-y les boulettes et laissez-les cuire 5 minutes en les tournant deux ou trois fois.

Servez avec de la coriandre ciselée et accompagnez d'une salade, par exemple.

Fond de veau et d'agneau

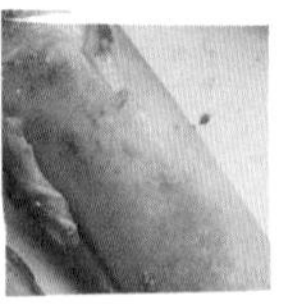

Avec l'os du gigot et d'un jarret de veau

Pour 2 l de fond de veau et d'agneau
Préparation : 30 min ▪ **Cuisson** : 4 h

- 1 os de jarret de veau coupé en morceaux
- 1/2 pied de veau
- 1 os de gigot d'agneau coupé en morceaux
- 2 carottes
- 1 poireau
- 1 oignon
- 1 branche de céleri
- 1 bouquet garni
- 2 clous de girofle
- 4 grains de poivre noir
- 1 c. à s. de gros sel

Préchauffez le four à 180 °C (th. 6).

Étalez les os sur une plaque de cuisson avec l'oignon coupé en deux et enfournez pour 45 minutes en les retournant à mi-cuisson.

Placez le pied de veau dans une grande marmite avec les os et l'oignon rôtis, puis ajoutez 3 l d'eau. Portez à frémissement et faites cuire à feu doux 1 heure environ.

Nettoyez les légumes puis coupez-les en tronçons. Ajoutez-les à la marmite avec le gros sel, les clous de girofle, les grains de poivre et le bouquet garni, et poursuivez la cuisson encore 2 bonnes heures à petit feu.

Filtrez le fond puis laissez-le refroidir. Répartissez-le dans de petites boîtes et congelez-le pour plus tard ou réservez-le au frais pour une utilisation rapide.

Fond de veau
et d'agneau

LE BŒUF

Avec des parties nobles ou des bas morceaux, le bœuf se révèle plein de ressources pour des repas de haute qualité.

Avec la chair d'un morceau de jarret désossé
Jarret de bœuf désossé aux oignons confits et safran
P.17

Avec l'os du jarret de bœuf
Os à moelle grillé
P.18

Avec la chair cuite d'une queue de bœuf
Rillettes d'effiloché de bœuf à l'orange
P.18

Jarret de bœuf désossé aux oignons confits et safran

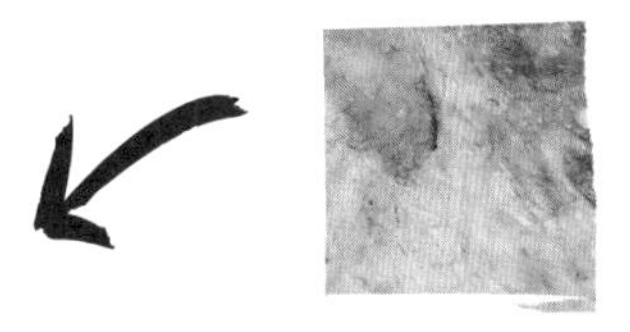

Avec la chair d'un morceau de jarret désossé

Pour 4 personnes
Préparation : 20 min
Cuisson : 1 h

- 1 kg de jarret de bœuf désossé (gardez l'os coupé en deux dans la longueur)
- 5 oignons
- 2 tomates
- 2 gousses d'ail
- 100 g d'olives
- 1 citron
- 50 cl de bouillon de poule ou de fond de veau (voir recette p. 14)
- 6 c. à s. d'huile d'olive
- 1 dosette de safran en poudre
- 1 petit bouquet de persil
- 1 c. à c. de curcuma en poudre
- 1 c. à c. de cumin en poudre
- Sel et poivre

Coupez la viande en morceaux. Épluchez les oignons et l'ail et ciselez-les. Coupez le citron et les tomates en tranches.

Faites chauffer l'huile dans une cocotte, laissez-y dorer les morceaux de bœuf pendant 5 minutes, puis ajoutez les oignons et l'ail. Couvrez et laissez cuire 10 minutes à feu doux et à couvert.

Ajoutez les épices, le citron, les tomates, les olives, du sel, du poivre et le persil ciselé. Mouillez avec un fond de veau ou du bouillon de poule, puis faites cuire 45 minutes à feu doux et à couvert en mélangeant de temps en temps.

Servez avec du riz ou de la semoule de couscous, un peu de persil ciselé et du poivre fraîchement moulu.

Os à moelle grillé

Avec l'os du jarret de bœuf

Pour 2 personnes
Préparation : 5 min ▪ **Cuisson** : 25 à 30 min

- 1 os de jarret de bœuf coupé en deux dans la longueur
- 3 pincées de fleur de sel
- 3 pincées de piment d'Espelette
- 2 tranches de pain de campagne

Préchauffez le four à 230 °C (th. 7-8).

Disposez les os à moelle sur une plaque de cuisson, saupoudrez-les de fleur de sel et de piment d'Espelette. Enfournez pour 25 à 30 minutes. Vérifiez la cuisson en plantant la pointe d'un couteau dans la moelle, elle doit s'enfoncer sans résistance.

Servez brûlant sur une tranche de pain grillé.

Rillettes d'effiloché de bœuf à l'orange

Avec la chair cuite d'une queue de bœuf

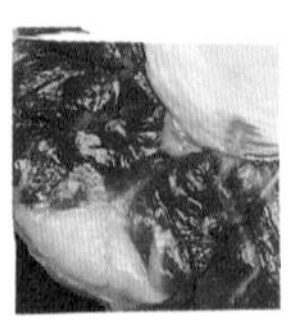

Pour 4 personnes
Préparation : 15 min ▪ **Réfrigération** : 24 h

- 1 queue de bœuf cuite dans un pot-au-feu
- 1 orange
- 70 g de beurre mou
- 2 oignons nouveaux avec les fanes
- 1 petit citron confit
- 3 pincées de flocons de piment
- 10 brins de coriandre
- Sel et poivre

Récupérez la viande autour des os de la queue de bœuf cuite. Disposez-la dans un grand bol et ajoutez le beurre mou, les flocons de piment, du sel et du poivre. Écrasez à la fourchette.

Ciselez les oignons nouveaux et la coriandre, hachez le citron confit, prélevez le zeste de l'orange avec une râpe fine, puis pressez une moitié d'orange pour récupérer le jus. Ajoutez le tout à la viande et mélangez bien.

Disposez les rillettes dans un bocal, fermez-le et réservez au frais 24 heures avant de servir sur des tartines grillées.

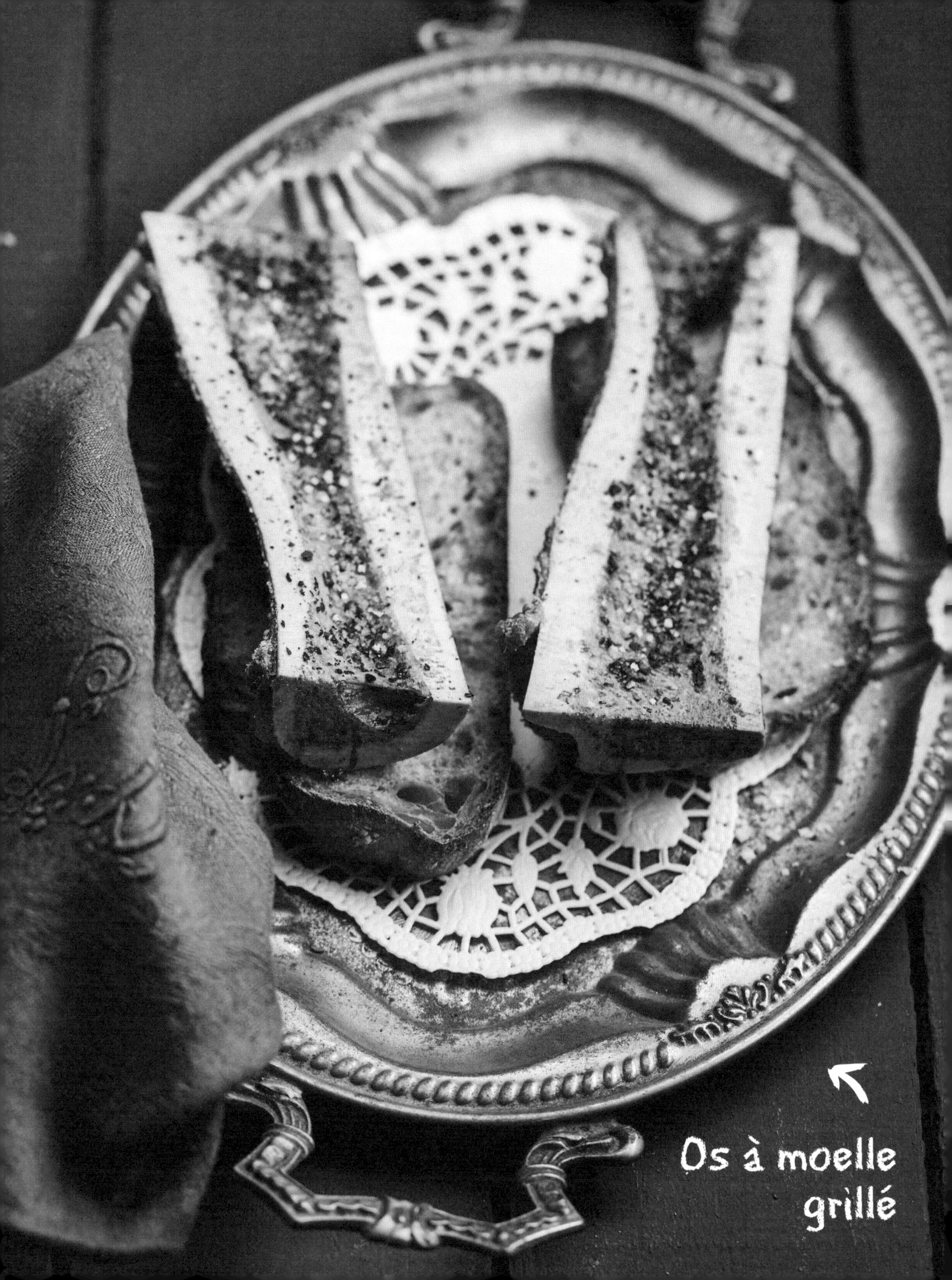

Os à moelle grillé

LE CANARD

Le canard est une viande de qualité : du tendre magret au bon gras que l'on peut utiliser dans diverses recettes.

Avec le magret
Magret grillé, purée de potimarron et patate douce
P.21

Avec le gras du magret
Salade d'endives aux frittons grillé
P.22

Magret grillé, purée de potimarron et patate douce

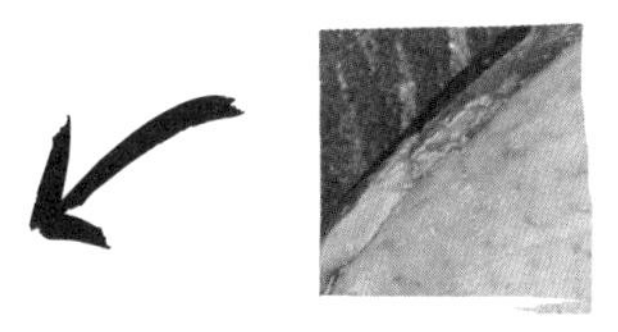

Avec le magret

Pour 4 personnes
Préparation : 20 min
Cuisson : 30 min

- 2 magrets de canard
- 400 g de potimarron
- 400 g de patate douce
- 4 abricots secs
- 40 g de beurre salé
- 2 c. à s. de miel
- 2 c. à s. de raisins secs
- 2 cm de gingembre frais
- 2 c. à s. d'huile de sésame
- 2 c. à s. de graines de sésame
- Quelques brins de coriandre
- Sel et poivre

Épluchez les patates douces et coupez-les en cubes, lavez le potimarron et coupez-le en cubes en gardant la peau. Faites cuire 20 minutes dans une casserole d'eau bouillante salée. Égouttez et réduisez en purée avec un presse-purée en ajoutant le beurre en parcelles, l'huile de sésame, du sel et du poivre. Réservez au chaud.

Désépaississez le gras des magrets en n'en laissant que la moitié sur la viande (gardez le reste pour la recette p. 22). Coupez les abricots secs en lanières, épluchez et râpez le gingembre. Mélangez-les avec le miel et les raisins secs.

Faites chauffer une poêle ; déposez-y les magrets côté gras et laissez dorer 10 minutes. Retournez-les et ajoutez le miel aux fruits séchés et au gingembre, salez et poivrez. Laissez cuire 5 minutes.

Servez avec la purée, les graines de sésame et un peu de coriandre ciselée.

Salade d'endives aux frittons grillés

Avec le gras du magret

Pour 4 personnes
Préparation : 5 min
Cuisson : 7 à 10 min

Pour le jus
- 4 à 5 endives
- Le gras de 2 magrets de canard
- 1 pomme rouge
- 1/2 orange
- 4 noix
- 3 c. à s. d'huile d'olive
- 1 c. à s. de moutarde à l'ancienne
- 1 c. à s. de vinaigre balsamique
- 1 c. à s. de miel
- Sel et poivre
- 2 tranches de pain de campagne un peu rassis, coupées en dés

Coupez le gras de canard en très petits cubes. Faites-les dorer dans une poêle pendant 3 minutes jusqu'à ce qu'ils soient bien dorés, puis réservez sur du papier absorbant. Ajoutez les croûtons dans la poêle, puis versez le vinaigre, mélangez, laissez caraméliser légèrement et réservez.

Mélangez l'huile, la moutarde, les zestes et le jus de l'orange, du sel, du poivre et le miel. Concassez les noix. Coupez la pomme en allumettes. Retirez le trognon des endives, coupez-les en deux dans la longueur puis en tranches fines.

Versez la sauce sur les endives, ajoutez la pomme et les noix, puis mélangez. Parsemez de frittons grillés et de croûtons croustillants.

LE POULET

Un bon poulet bien élevé mérite qu'on l'utilise en entier afin de profiter de tout ce qu'il a à offrir.

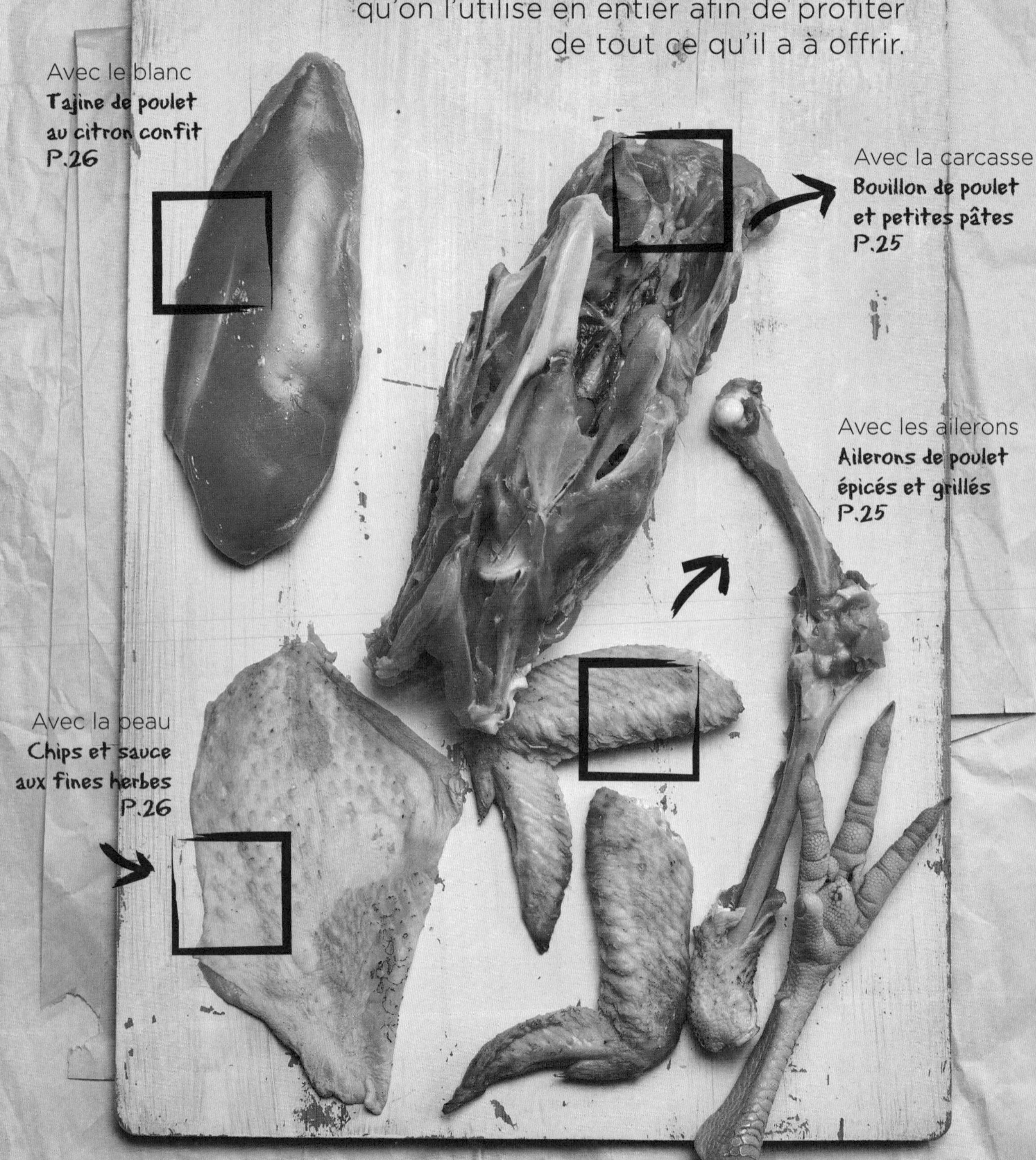

Avec le blanc
Tajine de poulet au citron confit
P.26

Avec la carcasse
Bouillon de poulet et petites pâtes
P.25

Avec les ailerons
Ailerons de poulet épicés et grillés
P.25

Avec la peau
Chips et sauce aux fines herbes
P.26

Ailerons de poulet épicés et grillés

Avec les ailerons

Pour 2 personnes
Préparation : 5 min ▪ **Cuisson** : 30 min

- 8 ailerons de poulet
- 4 pincées de paprika
- 2 pincées de gingembre en poudre
- 1 pincée de flocons de piment
- 2 c. à s. d'huile d'olive
- 2 c. à s. de chapelure (voir recette p. 10)
- 1 c. à s. de farine
- Sel et poivre

Préchauffez le four à 180 °C (th. 6).

Enduisez les ailerons d'huile avec un pinceau. Mélangez la farine, la chapelure et les épices avec du sel et du poivre dans un saladier.

Déposez les ailerons dans le saladier et enrobez-les bien du mélange puis disposez-les sur une plaque de cuisson, et enfournez pour 30 minutes.

Servez avec du mesclun, par exemple, ou une purée de carottes.

Bouillon de poulet et petites pâtes

Avec la carcasse
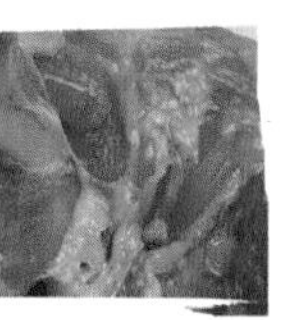

Pour 6 personnes ▪ **Préparation** : 15 min ▪ **Cuisson** : 15 min

1 carcasse et les os de 1 poulet ▪ 2 ou 3 verts de poireau ▪ Les épluchures de 6 carottes
Les épluchures de 2 navets ▪ Les épluchures de 4 racines de persil ▪ 1 bouquet garni composé de tiges de persil et de coriandre, feuille de laurier, du thym et du romarin ▪ 2 branches de céleri avec les feuilles ▪ 2 oignons ▪ 4 gousses d'ail ▪ 2 cm de gingembre frais ▪ 1 petit piment oiseau ▪ 10 grains de poivre ▪ 4 clous de girofle ▪ 2 c. à s. de gros sel ▪ 200 g de petites pâtes à bouillon (alphabet, étoiles…) ▪ **Pour servir :** Quelques feuilles de coriandre ▪ Quelques cuillerées de crème fraîche épaisse

Lavez les branches de céleri et les verts de poireau. Coupez-les en 2 ou 3 morceaux. Épluchez les oignons et piquez-les de clous de girofle. Épluchez le gingembre et coupez-le en tranches.

Placez la carcasse et les os de poulet dans un grand faitout, puis ajoutez tous les ingrédients. Versez 2 l d'eau, couvrez et faites cuire 1 heure à feu doux à partir du frémissement.

Retirez la carcasse et les os du bouillon, laissez-les refroidir puis récupérez les restes de viande le long des os. Filtrez le bouillon. Versez-le dans une casserole avec les bouts de viande récupérés, portez à ébullition, puis ajoutez les pâtes et faites cuire le temps indiqué sur le paquet.

Servez avec un peu de coriandre ciselée et de la crème fraîche épaisse.

Tajine de poulet au citron confit

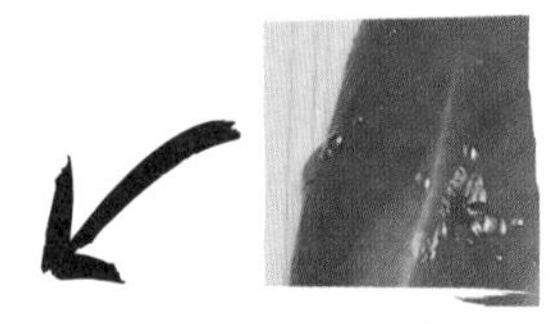

Avec le blanc

Pour 6 personnes
Préparation : 20 min ▪ **Cuisson** : 50 min

1 poulet fermier coupé en morceaux et désossé par le boucher (gardez les os et la carcasse)
2 petits citrons confits au sel ▪ 3 oignons jaunes ▪ 2 carottes ▪ 2 pommes de terre
2 branches de céleri ▪ 4 c. à s. d'huile d'olive ▪ 1 c. à s. de harissa ▪ 1 c. à c. de cumin en poudre ▪ 1 c. à c. de ras el-hanout ▪ 1 petit bouquet de coriandre ▪ Sel et poivre

Épluchez les carottes, les pommes de terre et les oignons. Coupez-les en tranches épaisses. Lavez les branches de céleri, effilez-les puis coupez-les en tronçons.

Retirez la peau des cuisses de poulet, gardez-la pour une autre recette ainsi que la carcasse et les ailerons.

Faites chauffer l'huile dans une cocotte en fonte, puis ajoutez les morceaux de poulet désossés. Faites-les dorer de toutes parts pendant 5 minutes, puis ajoutez les oignons et dorez-les 5 minutes en mélangeant deux ou trois fois. Ajoutez le cumin et le ras el-hanout, la harissa, les citrons confits coupés en quatre, les légumes, du sel et du poivre et la moitié de la coriandre ciselée, puis versez de l'eau jusqu'au niveau des ingrédients. Couvrez et laissez cuire 40 minutes à feu moyen.

Retirez le couvercle, goûtez et rectifiez l'assaisonnement si besoin, puis laissez réduire un peu à découvert.

Servez dans un plat, accompagné de semoule aux raisins et de coriandre ciselée.

Chips et sauce aux fines herbes

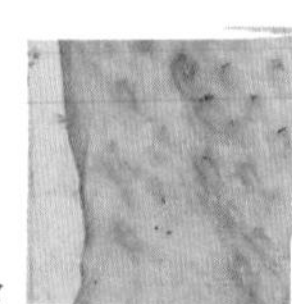

Avec la peau

Pour 4 personnes
Préparation : 5 min ▪ **Cuisson** : 30 min

La peau crue de 1 poulet ▪ 1 gousse d'ail ▪ 4 pincées de cumin ▪ Sel et poivre
Pour la sauce : 1 yaourt au lait de brebis ▪ 10 brins de persil ▪ 2 cébettes ▪ 4 pincées de cumin
Sel et poivre

Préchauffez le four à 170 °C (th. 5-6).

Coupez la peau de poulet en morceaux. Épluchez la gousse d'ail et ciselez-la finement, ajoutez du sel, du poivre et le cumin. Mélangez et saupoudrez sur la peau de poulet. Enrobez la peau de la préparation.

Disposez bien à plat les morceaux de peau sur une plaque de cuisson ; recouvrez-les d'une deuxième plaque de cuisson en appuyant bien. Enfournez les plaques pour 30 minutes.

Mélangez le yaourt avec le cumin, du sel, du poivre, les cébettes ciselées et le persil. Égouttez les peaux grillées sur du papier absorbant avant de servir chaud avec la sauce au yaourt.

Tajine de poulet au citron confit

LES CREVETTES

Beaucoup de pertes pour ces petits crustacés pas donnés. Ne manquons pas d'utiliser les déchets pour en faire de fameux fumets.

Avec les crevettes et les langoustines
Salade d'agrumes aux crevettes et langoustines
P.29

Avec les carapaces, têtes et queues des crevettes et langoustines
Bisque de crevettes
P.29

Avec les crevettes
et les langoustines

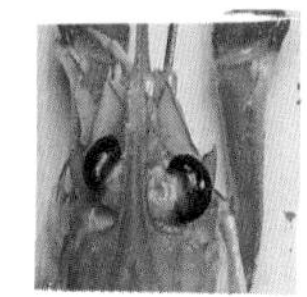

Salade d'agrumes aux crevettes et langoustines

Pour 4 personnes ▪ Préparation : 20 min ▪ **Cuisson** : 4 à 6 min

1 pamplemousse rose ▪ 1 orange sanguine
1 orange ▪ 1 belle poignée de mâche
8 crevettes roses crues ▪ 1 poignée de crevettes grises cuites ▪ 8 langoustines crues ▪ Quelques feuilles de coriandre ▪ 10 brins de ciboulette
2 c. à s. d'huile d'olive ▪ Sel et poivre

Pour la sauce
Le jus recueilli des agrumes épluchés
1 c. à s. de vinaigre de Xérès ▪ 1 c. à s. de crème liquide entière ▪ 3 c. à s. d'huile d'olive ▪ 1 c. à s. de sirop d'agave ▪ Sel et poivre

Pelez à vif les agrumes. Avec un couteau bien aiguisé, prélevez les segments entre les membranes blanches en recueillant le jus qui s'écoule dans un bol.
Lavez la mâche, essorez-la et retirez les petites racines à la base des bouquets.
Fouettez le jus des agrumes avec l'huile, la crème, le sirop et le vinaigre. Salez et poivrez.
Décortiquez les crevettes roses et grises et les langoustines (gardez les carapaces, les queues et les têtes pour la recette ci-dessous ou congelez-les pour les utiliser plus tard).
Faites chauffer l'huile dans une poêle et laissez cuire les crevettes roses et les langoustines 2 à 3 minutes de chaque côté. Salez et poivrez.
Mélangez la mâche, les agrumes, les langoustines et les crevettes avec la sauce, la ciboulette et la coriandre ciselée.

Bisque de crevettes

Avec les carapaces,
têtes et queues
des crevettes et
langoustines

Pour 4 personnes
Préparation : 20 min ▪ **Cuisson** : 30 min

500 g de carapaces, têtes et queues de crevettes grises et roses et de langoustines
1 échalote ▪ 1 feuille de laurier ▪ 1 branche de céleri ▪ 2 c. à s. d'huile d'olive ▪ 2 c. à s. de cognac ▪ 1 c. à s. de concentré de tomate
20 cl de crème liquide entière ▪ 2 petits jaunes d'œufs ▪ Petits croûtons de pain dur grillés
Sel et poivre

Faites chauffer l'huile dans une cocotte, ajoutez les carapaces de crustacés et l'échalote épluchée et ciselée. Laissez dorer 5 minutes, écrasez bien le tout avec un pilon, puis ajoutez le céleri coupé en tronçons, le concentré de tomate, le laurier et le cognac. Laissez le cognac s'évaporer quelques instants, puis couvrez d'eau à hauteur et laissez cuire 20 minutes à partir du frémissement.
Écrasez à nouveau avec un pilon, puis filtrez ensuite dans un chinois. Remettez à chauffer le bouillon, goûtez, rectifiez l'assaisonnement, puis ajoutez 15 cl de crème entière et laissez frémir quelques minutes.
Mélangez le restant de la crème avec les jaunes d'œufs. Versez ce mélange hors du feu dans le bouillon chaud en fouettant vigoureusement, poivrez et servez aussitôt avec des petits croûtons de pain grillé (voir p. 9).

LES POISSONS BLANCS

On achète des poissons entiers et on demande au poissonnier de lever les filets, mais de nous garder les arêtes, les queues et les têtes pour faire de bonnes recettes.

Avec les filets
Filet de lieu jaune rôti à l'orange
P.31

Avec les parures de poisson
Fumet de poisson
P.32

Filet de lieu jaune rôti à l'orange

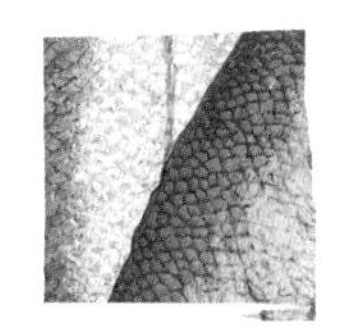

Avec les filets

Pour 4 personnes
Préparation : 15 min
Cuisson : 25 à 35 min

- 600 g de lieu jaune, mulet ou merluchon (levé en filet et en gardant la tête, la queue et les parures)
- 2 oranges
- 1 petit verre de vin blanc
- 2 pincées de graines de coriandre
- 2 pincées de graines de cumin
- 25 g de beurre + 2 noix pour le moule
- Sel et poivre

Préchauffez le four à 160 °C (th. 5-6).

Zestez et pressez les oranges.

Coupez le filet de poisson en quatre morceaux. Placez-les dans un plat à four beurré. Saupoudrez-les de graines de coriandre et de cumin, de zeste d'orange, de sel et de poivre, puis déposez sur le dessus le beurre en noisettes. Versez le vin blanc et le jus des oranges.

Enfournez le plat pour 20 à 30 minutes selon l'épaisseur des filets, puis terminez la cuisson 5 minutes sous le gril.

Servez avec des pommes de terre en robe des champs ou une purée de carottes.

La bonne idée

Avec les restes de poisson et de pommes de terre, vous pouvez faire des croquettes de poisson.

Fumet de poisson

Pour 4 personnes
Préparation : 5 min
Cuisson : 7 à 10 min

Avec les parures de poisson

- Les parures de 1 poisson blanc (tête, queue, nageoire, arête de mulet, lieu jaune, merlan ou merlu)
- 1 oignon
- 1 poireau
- 1 branche de céleri
- 1 carotte
- 2 champignons de Paris
- 2 noix de beurre
- 1 petit verre de vin blanc
- 2 brins de thym
- 1 feuille de laurier
- 10 grains de poivre
- 1 c. à s. de gros sel

Épluchez l'oignon et ciselez-le. Lavez le poireau, la carotte, le céleri, les champignons puis coupez-les en tranches.

Faites fondre le beurre dans une cocotte, ajoutez l'oignon ; faites-le suer un peu puis ajoutez les légumes coupés en tranches, et laissez cuire 5 minutes en mélangeant.

Ajoutez les parures de poisson, mélangez puis versez le vin blanc. Laissez-le s'évaporer quelques instants, puis couvrez d'eau. Ajoutez le laurier, le thym, les grains de poivre et le gros sel. Laissez cuire à feu doux 30 minutes à partir du frémissement. Écumez de temps en temps.

Filtrez le bouillon dans un chinois puis laissez-le refroidir.

Le bon conseil

Se conserve 3 jours au frais ou plusieurs mois au congélateur.

L'ARTICHAUT

Vous pensez qu'il y en a plus à jeter qu'à manger dans les artichauts ? Voici la preuve du contraire !

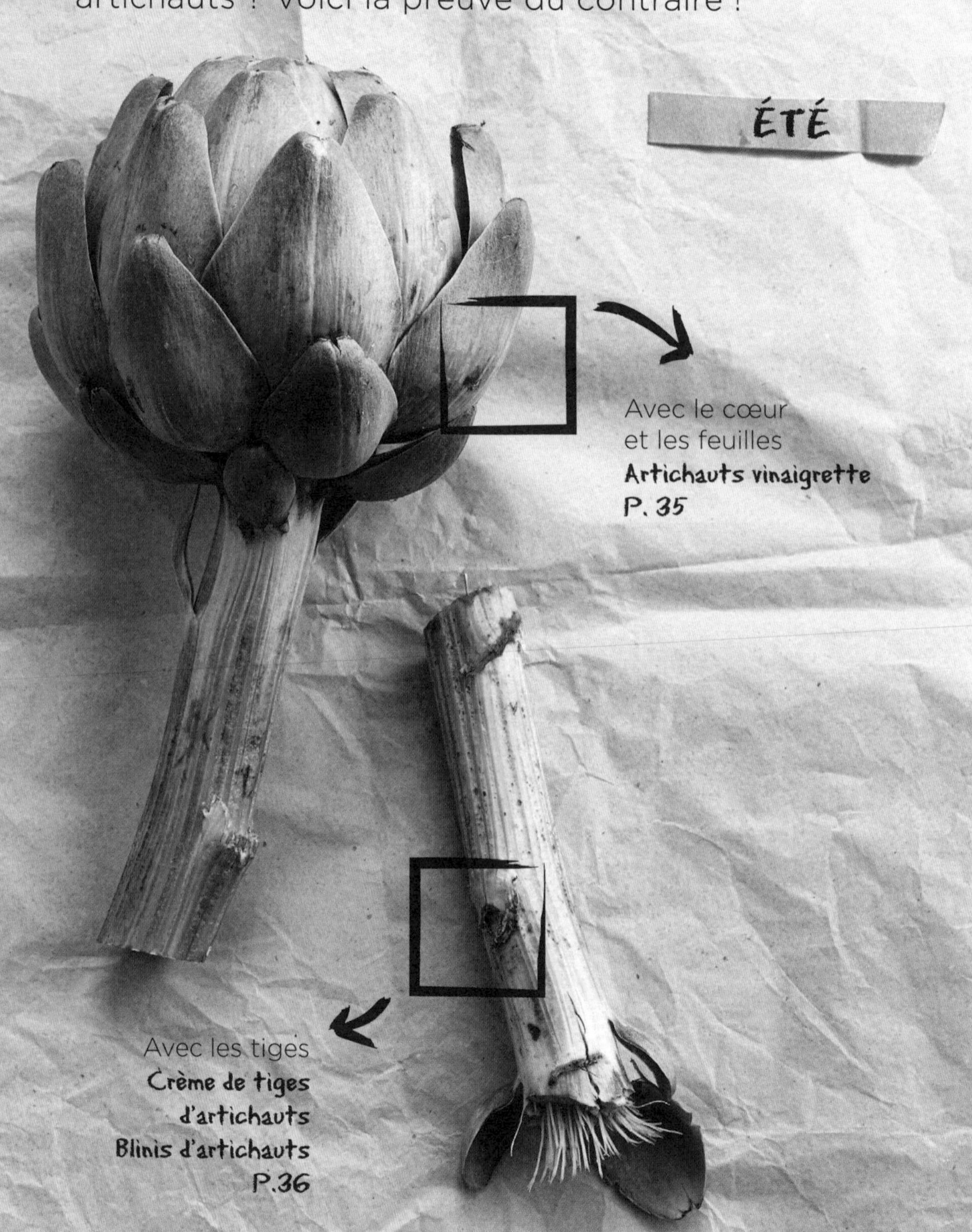

Artichauts vinaigrette

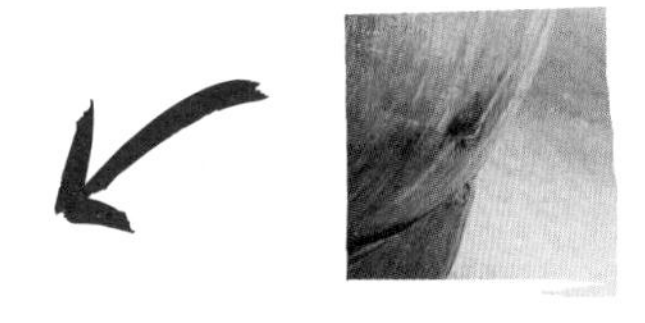

Avec le cœur
et les feuilles

Pour 4 personnes
Préparation : 15 min
Cuisson : 50 min
Repos : 1 h

- 4 artichauts
- Le jaune de 1 œuf dur
- 10 cl d'huile d'olive
- 2 c. à s. de vinaigre de cidre
- 1 c. à c. de moutarde
- Quelques brins d'aneth
- Sel et poivre

Lavez les artichauts, laissez les tiges et faites-les cuire à la vapeur pendant 50 minutes environ.

Préparez la vinaigrette en écrasant la moutarde avec le jaune d'œuf dur, puis ajoutez le vinaigre, l'aneth ciselé et l'huile. Salez et poivrez.

Égouttez les artichauts têtes en bas et laissez-les refroidir.

Coupez les tiges, gardez-les pour les recettes suivantes et servez les artichauts avec la vinaigrette.

La bonne idée

Dégustez les artichauts encore tièdes, ils n'en seront que meilleurs.

Crème de tiges d'artichauts

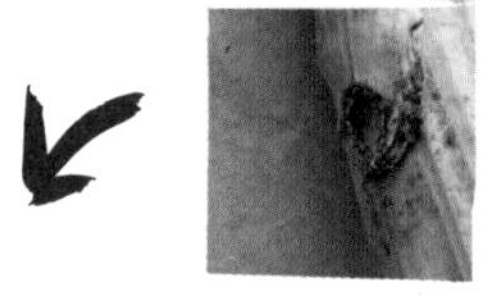

Avec les tiges

Pour 1 bol
Préparation : 10 min ▪ **Cuisson** : 25 min

- 2 pommes de terre
- 8 tiges d'artichauts cuites
- 100 g de comté fruité
- 2 c. à s. de crème fraîche
- 10 brins de persil
- 2 c. à s. d'huile de pépins de courge
- Sel et poivre

Faites cuire les pommes de terre à l'eau. Passez les tiges des artichauts et les pommes de terre au moulin à légumes avec la grille fine. Râpez le comté.

Faites chauffer cette purée sur feu doux, pendant 5 minutes, puis ajoutez le comté râpé, la crème fraîche, du sel et du poivre.

Retirez du feu. Ajoutez le persil ciselé et l'huile de pépins de courge. Salez et poivrez. Servez avec une viande grillée.

Blinis d'artichauts

Avec les tiges

Pour 12 pièces
Préparation : 15 min ▪ **Cuisson** : 15 min

- 3 tiges d'artichauts cuites (160 g)
- 100 g de yaourt de brebis
- 200 g de farine
- 2 œufs
- 15 cl de lait
- 1 sachet de levure
- 3 c. à s. d'huile
- Sel et poivre

Passez les tiges d'artichauts à la moulinette.

Séparez les blancs d'œufs des jaunes. Mélangez les jaunes avec le yaourt, le lait, la purée d'artichauts, la farine, la levure, du sel et du poivre.

Battez les blancs d'œufs en neige et incorporez-les délicatement à la préparation.

Faites chauffer une poêle avec un peu d'huile et déposez de petites louches de pâte espacées dans la poêle. Laissez cuire 2 minutes de chaque côté et renouvelez l'opération jusqu'à épuisement de la pâte. Servez chaud.

La bonne idée

Ces blinis sont délicieux avec une tapenade de citrons confits (voir recette p. 116).

ARTICHAUTS
ARTICHAUTS CRUS
ARTICHAUTS SERVIS FROIDS

L'ASPERGE

Ce légume aux saveurs subtiles et délicates annonce le printemps : il serait dommage d'en jeter la moitié !

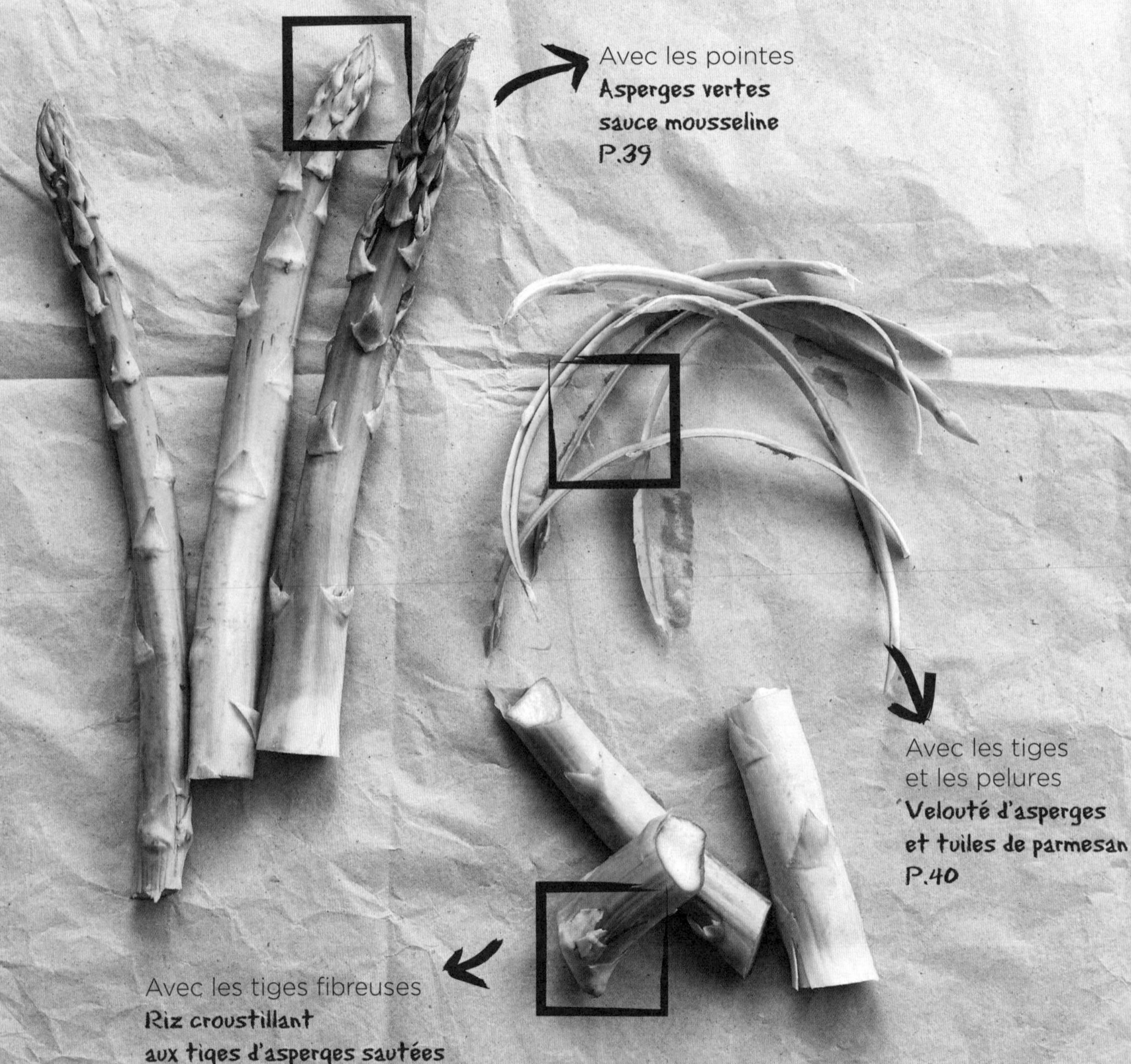

Avec les pointes
Asperges vertes sauce mousseline
P.39

Avec les tiges et les pelures
Velouté d'asperges et tuiles de parmesan
P.40

Avec les tiges fibreuses
Riz croustillant aux tiges d'asperges sautées
P.40

Asperges vertes sauce mousseline

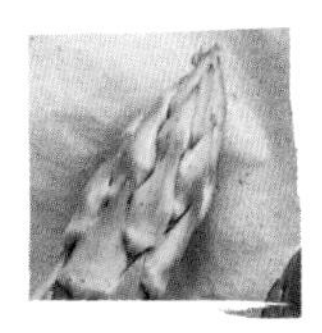

Avec les pointes

Pour 4 personnes
Préparation : 15 min
Cuisson : 10 min

- 2 bottes d'asperges vertes
- 2 œufs
- 25 cl d'huile de tournesol
- 1 c. à s. de moutarde à l'ancienne
- 1 c. à s. de gros sel
- Quelques feuilles d'estragon
- Sel et poivre

Épluchez les asperges avec un rasoir à légumes et cassez à la main la partie fibreuse. Gardez celle-ci et les peaux pour les recettes suivantes.

Faites bouillir de l'eau dans une grande sauteuse avec le gros sel, puis plongez les pointes d'asperges et laissez-les cuire 10 minutes. Égouttez-les soigneusement sur un torchon.

Séparez les blancs des jaunes d'œufs. Battez les jaunes dans un saladier avec la moutarde, du sel et du poivre. Montez la mayonnaise à l'aide d'un batteur en ajoutant peu à peu l'huile.

Battez les blancs d'œufs en neige et ajoutez-les délicatement à la mayonnaise.

Servez les asperges tièdes avec la mayonnaise et de l'estragon finement ciselé.

Le bon conseil

Évitez de supprimer les parties fibreuses avec un couteau : à la main, elles se cassent naturellement à l'intersection des fibres et de la chair moelleuse.

Riz croustillant aux tiges d'asperges sautées

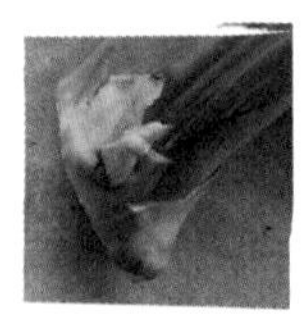

Avec les tiges fibreuses

Pour 4 personnes
Préparation : 10 min ▪ **Cuisson** : 25 à 30 min

Les tiges fibreuses de 1 botte d'asperges vertes ▪ 3 oignons nouveaux avec les fanes
250 g de riz basmati ▪ 70 cl de bouillon de légumes ▪ 70 g de cacahuètes grillées à sec
20 cl de lait de coco ▪ 4 c. à s. d'huile d'olive
1 c. à c. de curry ▪ 1 c. à s. de sauce satay
Quelques feuilles de coriandre ▪ Sel et poivre

Coupez les tiges d'asperges en rondelles. Faites-les cuire 10 minutes à la vapeur.

Mettez l'huile à chauffer dans une grande poêle, ajoutez le riz et les oignons, les rondelles d'asperges, du sel, du poivre et le curry. Mélangez pendant 5 minutes, puis versez le bouillon et faites cuire à couvert pendant 10 minutes sans remuer. Poursuivez la cuisson 5 minutes à découvert puis, une fois le bouillon absorbé, ajoutez les cacahuètes concassées. Remuez le riz avec une spatule quelques minutes jusqu'à ce qu'il croustille.

Faites chauffer le lait de coco avec la sauce satay. Salez et poivrez.

Servez le riz avec la sauce à part et de la coriandre ciselée.

Velouté d'asperges et tuiles de parmesan

Avec les tiges et les pelures

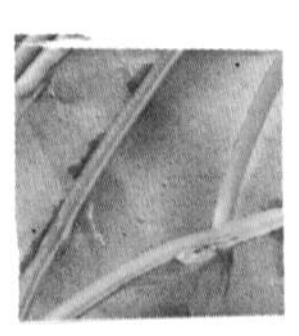

Pour 4 personnes
Préparation : 20 min ▪ **Cuisson** : 25 min

Les tiges et pelures de 2 bottes d'asperges vertes ▪ 1 oignon ▪ 1 pomme de terre
1 l de bouillon de poule ▪ 100 g de parmesan râpé
4 c. à s. de crème fraîche épaisse
2 c. à s. d'huile d'olive ▪ Sel et poivre

Épluchez l'oignon et la pomme de terre, puis coupez-les en morceaux. Coupez les tiges fibreuses des asperges en rondelles.

Faites revenir l'oignon dans une casserole avec l'huile pendant 5 minutes, en remuant. Ajoutez les pelures d'asperges et la pomme de terre, puis le bouillon, du sel et du poivre. Couvrez et faites cuire 15 minutes.

Mixez finement, puis passez le velouté dans un tamis.

Disposez des cuillerées de parmesan en petits tas bien espacés dans une poêle antiadhésive. Faites-les cuire quelques minutes le temps que le fromage fonde et dore. Décollez les tuiles avec une spatule ; laissez-les refroidir et durcir.

Servez avec le velouté et un peu de crème fraîche.

Violette, jaune ou blanche, la betterave est aussi bonne crue que cuite. Un beau légume à consommer au cœur de l'hiver !

HIVER

Avec la peau
Confiture de pelures de betteraves
P.44

Avec la chair
Carpaccio de betteraves crues
P.43

Avec les tiges
Tiges de betteraves au sirop
P.44

Carpaccio de betteraves crues

Avec la chair

Pour 4 personnes
Préparation : 10 min
Cuisson : 5 min

- 1 betterave chioggia
- 1 betterave jaune
- 1 betterave rouge
- 50 g de noisettes
- 10 cl d'huile de noisette
- 2 c. à s. de graines de courge
- 1 c. à s. de vinaigre de cidre
- Sel et poivre

Coupez les tiges et épluchez les betteraves. Tranchez-les très finement avec une mandoline et disposez-les dans un saladier. Réservez les tiges et la peau pour les recettes suivantes.

Mélangez dans un bol l'huile, le vinaigre, du sel et du poivre.

Faites griller les noisettes concassées et les graines de courge dans une poêle, avec du sel et du poivre, pendant 5 minutes, en remuant.

Versez la sauce sur les tranches de betteraves, mélangez bien et ajoutez les graines grillées et les noisettes.

La bonne idée

Servez ce carpaccio avec des tartines de pain grillé et du beurre salé.

Confiture de pelures de betteraves

Avec
la peau

Pour 2 petits pots
Préparation : 10 min ▪ **Macération** : 30 min ▪ **Cuisson** : 45 min

- 250 g de peaux de betteraves crues
- 1 pomme verte
- 350 g de sucre
- Le jus de 1/2 citron
- 1 c. à s. de graines de carvi

Coupez la pomme en quatre et enlevez les pépins.

Mixez les peaux de betteraves et la pomme avec le jus de citron.

Mettez cette préparation dans une casserole à fond épais avec 50 cl d'eau, le sucre et les graines de carvi. Laissez macérer 30 minutes.

Portez à ébullition, puis faites cuire sur feu moyen pendant 45 minutes. Mélangez régulièrement et écumez au fur et à mesure.

Versez dans des pots stérilisés, fermez-les, retournez-les puis laissez-les refroidir. Stockez à l'endroit à l'abri de la lumière.

La bonne idée

Cette confiture se consomme sur du pain beurré ou pour accompagner du fromage. Elle se conserve 6 mois.

Tiges de betteraves au sirop

Avec
les tiges

Pour 4 personnes
Préparation : 10 min ▪ **Cuisson** : 15 min

- Les tiges d'une botte de betteraves crues
- 100 g de sucre roux
- 2 cm de gingembre
- 1 gousse de vanille
- 5 c. à s. de sirop de rose

Coupez les tiges au ras de la betterave, enlevez les feuilles que vous pourrez consommer en salade. Lavez les tiges puis coupez-les en tronçons. Râpez le gingembre.

Placez les tiges dans une sauteuse avec un fond d'eau, le sucre, la gousse de vanille coupée en deux, le gingembre et le sirop. Couvrez et laissez confire pendant 15 minutes en surveillant la cuisson. Ajoutez de l'eau si nécessaire.

Dégustez ainsi ou dans un yaourt, une crêpe ou encore avec du pain perdu.

LE BROCOLI

Joli légume vert de la famille des choux, il est souvent consommé trop cuit et perd ainsi tout son croquant. On jette sa tige et ses feuilles, qui sont pourtant excellentes.

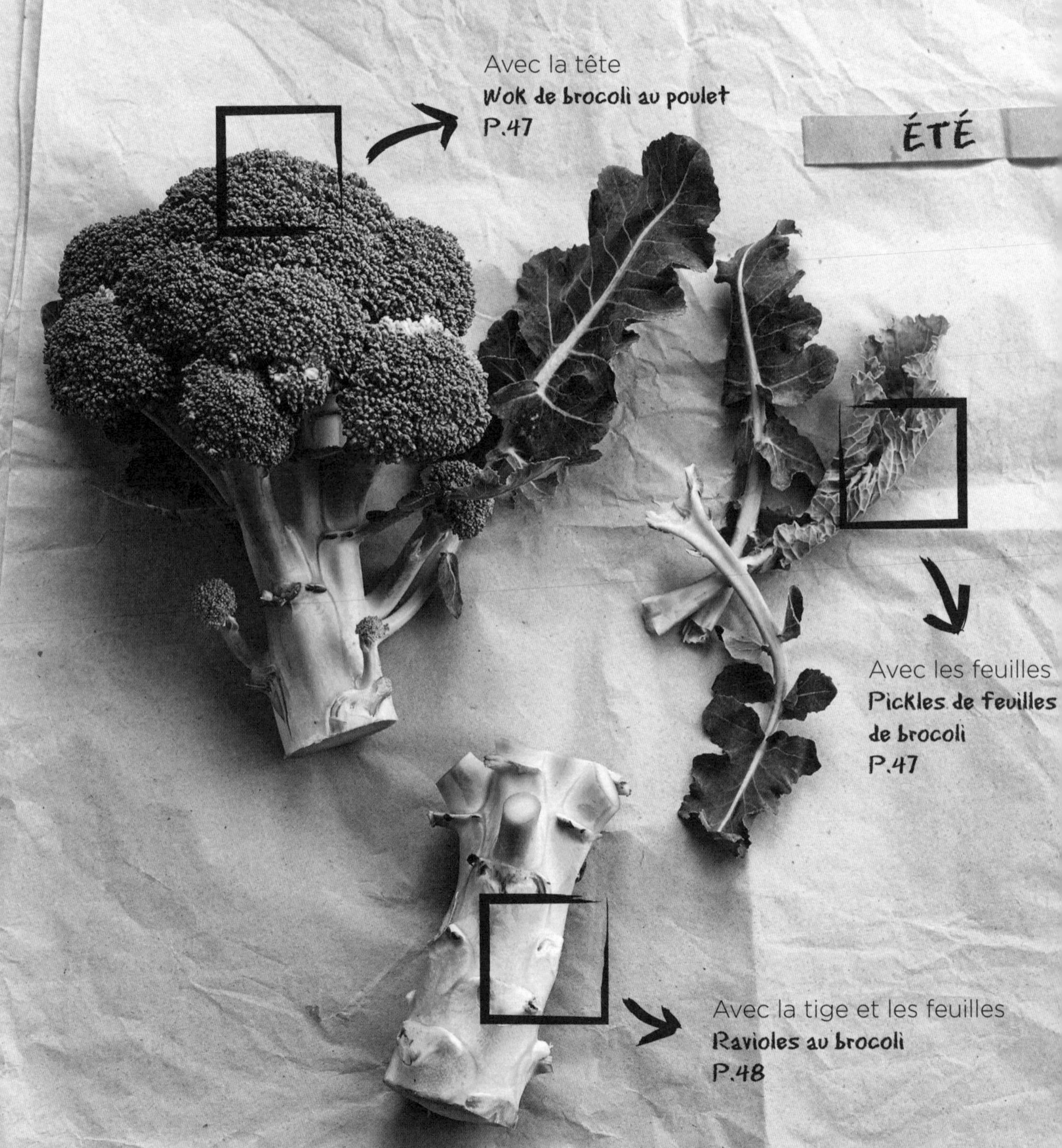

Wok de brocoli au poulet

Avec
la tête

Pour 6 personnes
Préparation : 14 min ▪ **Cuisson** : 20 min

- 1 tête de brocoli
- 3 blancs de poulet
- 4 ciboules
- 50 g d'amandes effilées
- Le jus de 1 citron vert
- 6 c. à s. d'huile d'olive
- 6 c. à s. de sauce soja
- Sel et poivre

Lavez le brocoli, coupez les fleurettes au ras de la tige, puis, selon leur grosseur, recoupez-les en deux. Faites cuire 10 minutes à la vapeur.

Coupez le poulet en lanières. Faites chauffer l'huile dans un wok, ajoutez le poulet, du sel, du poivre, les amandes et les ciboules ciselées. Faites dorer le tout 5 à 6 minutes en remuant.

Ajoutez les fleurettes de brocoli, la sauce soja, le jus de citron et poursuivez la cuisson 5 minutes supplémentaires en remuant.

Pickles de feuilles de brocoli

Avec
les feuilles

Pour 1 bocal
Préparation : 10 min ▪ **Cuisson** : 10 min ▪ **Macération** : 2 semaines

- Les feuilles de 2 brocolis
- 2 carottes
- 2 citrons
- 20 cl de vinaigre de vin blanc
- 2 c. à s. de gros sel gris
- 2 étoiles de badiane
- 2 feuilles de laurier
- Sel

Lavez les légumes, coupez-les en tranches fines et gardez les feuilles entières.

Faites blanchir les carottes 3 minutes dans une casserole d'eau bouillante salée, ajoutez les feuilles des brocolis 1 minute seulement, puis plongez-les dans l'eau froide. Faites bouillir le vinaigre avec 50 cl d'eau, le gros sel et les aromates.

Placez dans un bocal stérilisé, en alternant, les carottes, les feuilles des brocolis, les tranches de citrons. Versez le vinaigre bouillant jusqu'en haut du bocal, puis laissez refroidir complètement avant de fermer. Laissez macérer à l'abri de la lumière pendant 2 semaines avant de déguster comme des cornichons.

La bonne idée
Ces pickles de brocoli peuvent se consommer avec une bonne terrine de lapin. Ils se gardent plusieurs semaines au frais après ouverture.

voir photo P.49

Ravioles au brocoli

Pour 4 personnes
Préparation : 30 min
Repos : 30 min
Cuisson : 1 h 15

Avec la tige et les feuilles

Pour la pâte à ravioles
- 200 g de semoule de blé fine ou moyenne
- 2 œufs
- 4 c. à s. d'huile d'olive
- 1/2 c. à c. de sel

Pour le bouillon
- Des os de volaille
- 1 oignon
- 1 gousse d'ail
- 2 cm de gingembre
- Les feuilles de 2 tiges de céleri
- 1 feuille de laurier
- 3 grains de poivre
- 1 c. à s. de gros sel
- 2 c. à s. d'huile d'olive
- 2 c. à s. de sauce soja

Pour la farce
- 1 tige de brocoli + les feuilles
- 1 gousse d'ail
- 10 brins de persil
- 1 petit bouquet de ciboulette
- 6 c. à s. d'huile d'olive
- 1 c. à s. de pâte de cacahuètes
- Sel et poivre

Élaborez la pâte à ravioles. Mélangez la semoule avec les œufs, l'huile et le sel. Ajoutez 2 cuillerées à soupe d'eau, puis formez une boule. Laissez-la reposer 30 minutes.

Préparez le bouillon. Dans un grand faitout, faites revenir dans l'huile les os de volaille avec l'oignon ciselé et l'ail écrasé pendant 5 minutes. Ajoutez le gingembre, le céleri, le laurier, le poivre, le gros sel et couvrez de 2 l d'eau. Faites cuire 1 heure à couvert.

Composez la farce. Hachez la tige de brocoli et les feuilles avec l'ail, le persil et la ciboulette. Ajoutez 2 cuillerées à soupe d'huile, du sel, du poivre et la pâte de cacahuètes. Mélangez bien et faites cuire cette farce dans une poêle avec le reste d'huile pendant 5 minutes en remuant.

Étalez finement la pâte à ravioles avec un rouleau sur un plan de travail saupoudré de semoule ou avec un laminoir à pâte. Découpez des ronds ou des carrés dans la pâte avec un emporte-pièce. Déposez une noix de farce au centre d'un morceau de pâte, recouvrez d'un autre rond de pâte, puis scellez les bords avec un peu d'eau en chassant l'air. Renouvelez l'opération jusqu'à épuisement des ingrédients.

Filtrez le bouillon, remettez-le dans une casserole et ajoutez la sauce soja. Portez à ébullition, puis plongez les ravioles pendant 5 à 6 minutes.

Servez dans de grands bols avec un peu de bouillon.

LA CAROTTE

La prochaine fois que le marchand de primeurs vous dira :
« Je coupe les fanes ? », refusez !

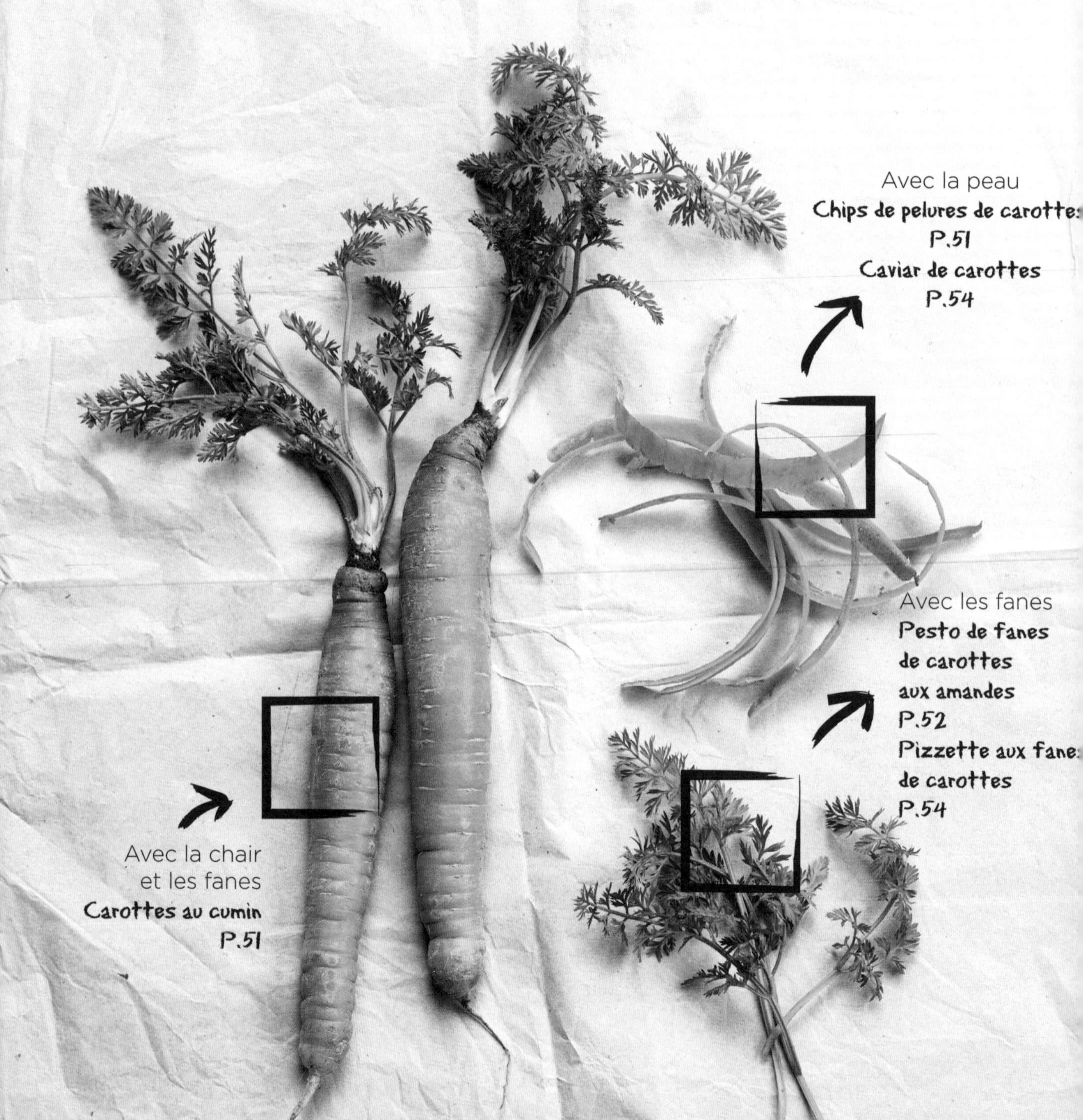

Carottes au cumin

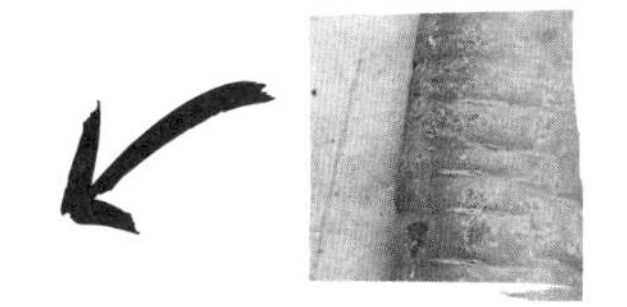

Avec la chair et les fanes

Pour 4 personnes
Préparation : 5 min
Cuisson : 20 min

- 1 botte de carottes
- 70 g de beurre
- 2 c. à s. de sucre roux
- Le jus et le zeste de 1/2 citron
- 1 c. à c. de cumin en poudre
- Sel et poivre

Épluchez les carottes et coupez-les en rondelles. Réservez les pelures pour les recettes suivantes. Coupez les fanes.

Mettez-les dans une sauteuse avec le beurre, le sucre, le cumin, du sel, du poivre, le jus et le zeste de citron. Ajoutez de l'eau à niveau, couvrez, puis faites cuire 20 minutes sur feu doux. Surveillez le niveau d'eau afin que les carottes n'attachent pas. En fin de cuisson, l'eau doit avoir presque totalement disparu.

Servez chaud en accompagnement d'une viande ou froid dans une salade.

Chips de pelures de carottes

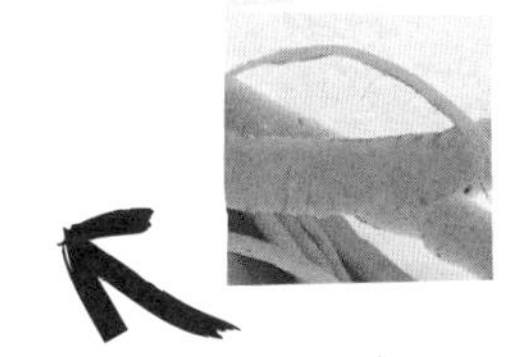

Avec la peau

Pour 1 bol
Préparation : 10 min ▪ **Cuisson** : 20 min

- Les pelures de 1 botte de carottes
- Quelques feuilles de céleri
- Quelques feuilles de coriandre
- 1 c. à c. de poudre d'ail
- Huile de friture
- 1 c. à s. de fleur de sel
- Poivre

Lavez, puis épongez les pelures de carottes dans du papier absorbant.

Disposez sur une plaque allant au four le sel, le poivre, les feuilles de céleri et de coriandre, et l'ail. Faites-les dessécher 15 minutes au four à 160 °C (th. 5-6).

Mixez finement ce sel aromatisé.

Faites chauffer l'huile, puis plongez les pelures de carottes une par une dans le bain de friture pendant 3 minutes. Égouttez-les sur du papier absorbant. Saupoudrez de sel aromatisé.

voir photo P.53 →

Pesto de fanes de carottes aux amandes

Avec
les fanes

Pour 1 pot
Préparation : 10 min

- Les fanes de 1 botte de carottes
- 1 bouquet de basilic
- 2 gousses d'ail
- 1 poignée d'amandes entières
- 4 c. à s. de poudre d'amandes
- 1 c. à c. de graines de carvi
- 10 cl d'huile d'olive
- Sel et poivre

Lavez et essorez bien les fanes de carottes. Mixez-les avec le basilic, l'ail et l'huile.

Concassez les amandes grossièrement.

Ajoutez aux fanes la poudre d'amandes, du sel, du poivre, les graines de carvi et les amandes concassées. Mélangez bien.

Versez le pesto dans un pot en verre. Fermez hermétiquement et réservez au frais.

La bonne idée

Ce pesto peut se consommer avec des pâtes ou sur des tartines grillées. Il se conserve plusieurs semaines au frais.

Pizzette aux fanes de carottes

Avec les fanes

Pour 4 personnes
Préparation : 15 min ▪ **Cuisson** : 15 min

- 1 pâte à pizza (maison ou du commerce)
- Les fanes de 1 botte de carottes
- 8 tranches fines de pancetta
- 1 boule de mozzarella di buffala
- 2 c. à s. de copeaux de parmesan
- 3 c. à s. de pignons
- 1 bouquet de basilic
- 1 gousse d'ail
- 5 cl d'huile d'olive
- Sel et poivre

Lavez bien les fanes et égouttez-les.

Hachez-les grossièrement avec les pignons, le basilic et l'ail. Ajoutez l'huile d'olive, du sel, du poivre et remuez.

Préchauffez le four à 220 °C (th. 7-8). Étalez la pâte sur une plaque recouverte de papier cuisson. Étalez la garniture, puis disposez les tranches de pancetta et la mozzarella coupée en cubes. Enfournez pour 15 minutes.

Servez avec des copeaux de parmesan.

Caviar de carottes

Avec la peau

Pour 4 personnes
Préparation : 10 min ▪ **Cuisson** : 5 min

- Les pelures de 2 bottes de carottes
- 3 tranches de pain de campagne rassis
- 5 cl de lait
- 1 gousse d'ail
- 1 c. à s. d'écorce de citron confit au sel
- 5 cl d'huile d'olive
- Quelques branches de thym frais
- Sel et poivre

Faites ramollir le pain dans le lait puis pressez-le.

Épluchez la gousse d'ail, puis ôtez le germe. Effeuillez le thym.

Mettez à cuire les pelures et l'ail 5 minutes à la vapeur.

Mixez-les ensuite avec l'écorce de citron, l'huile, le thym et le pain égoutté. Ajoutez du sel et du poivre, puis mélangez.

La bonne idée

Ce caviar de carottes est délicieux sur des tartines ou avec des pâtes.
Il se consomme dans les 3 jours.

LE CHOU-FLEUR

Il peut être fade et amer comme dans nos souvenirs de cantine ou croquant et délicat s'il est préparé avec soin.

PRINTEMPS / ÉTÉ

Avec les feuilles
Bagel aux feuilles de chou et chèvre frais
P.58

Avec les fleurs
Fleurettes de choux à la crème de moutarde
P.57

Avec les tiges
Parmentier de chou-fleur et canard
P.58

Fleurettes de choux à la crème de moutarde

Avec
les fleurs

Pour 6 personnes
Préparation : 10 min
Cuisson : 8 min

- 1 chou-fleur
- 1 chou romanesco
- 1 botte de ciboulette
- 20 cl de crème épaisse
- 3 c. à s. de fromage blanc
- 3 c. à s. de moutarde à l'ancienne
- 2 pincées de noix de muscade
- Sel et poivre

Lavez les choux, prélevez les fleurettes et réservez les feuilles et les tiges pour les recettes suivantes. Faites cuire les fleurettes à la vapeur pendant 7 à 8 minutes.

Ciselez la ciboulette. Mélangez la crème, le fromage blanc, la moutarde, la ciboulette, la muscade, du sel et du poivre.

Servez chaud, nappé de crème, ou froid en pickles, à l'apéritif.

La bonne idée

Utilisez les restes en gratin, en ajoutant du comté râpé et quelques noisettes de beurre.

Bagel aux feuilles de chou et chèvre frais

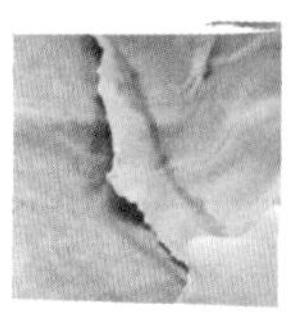
Avec les feuilles

Pour 2 bagels
Préparation : 15 min ▪ **Cuisson** : 7 min

- Les feuilles de 1 chou-fleur ou de 1 chou romanesco
- 2 petits pains ronds
- 100 g de chèvre frais
- 6 cerneaux de noix
- 1 c. à s. de raisins secs
- 1 filet d'huile de noix
- Sel et poivre

Lavez les feuilles du chou, blanchissez-les 2 minutes dans une casserole d'eau bouillante salée puis plongez-les dans l'eau froide. Égouttez-les bien sur du papier absorbant.

Coupez-les en lanières et faites-les revenir dans une poêle avec l'huile, du sel et du poivre pendant 3 minutes.

Coupez les pains en deux dans l'épaisseur. Passez-les 2 minutes sous le gril.

Tartinez l'intérieur des pains de chèvre frais et garnissez-les de feuilles de chou, de quelques raisins secs, des cerneaux de noix concassés et dégustez.

Parmentier de chou-fleur et canard

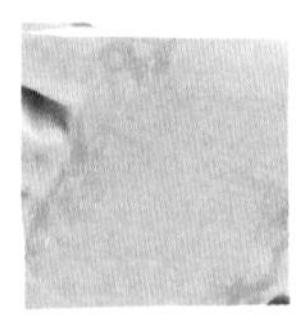
Avec les tiges

Pour 4 personnes
Préparation : 30 min ▪ **Cuisson** : 30 min

- 2 pommes de terre
- 3 tiges de choux-fleurs
- 4 cuisses de canard confites
- 3 c. à s. de crème épaisse + 1 petit pot pour le service
- 50 g de beurre
- 2 tranches de pain dur
- 10 brins de persil
- 1 gousse d'ail
- 1 poignée de noisettes
- Sel et poivre

Épluchez les pommes de terre et lavez-les. Coupez-les en morceaux. Coupez les tiges des choux. Faites-les cuire 15 minutes dans de l'eau bouillante salée.

Émiettez les cuisses de canard et disposez-les au fond d'un plat à gratin.

Écrasez au presse-purée les légumes avec la crème et le beurre. Salez et poivrez. Étalez cette purée sur la viande.

Préchauffez le four à 200 °C (th. 6-7). Mixez le pain, le persil, l'ail, les noisettes et parsemez-en le dessus du gratin. Enfournez pour 15 minutes.

Dégustez chaud avec de la crème fraîche épaisse.

LE CONCOMBRE

Ce légume gorgé d'eau se prête bien aux entrées rafraîchissantes d'été. Les recettes incluent aussi ses pépins et sa belle peau verte.

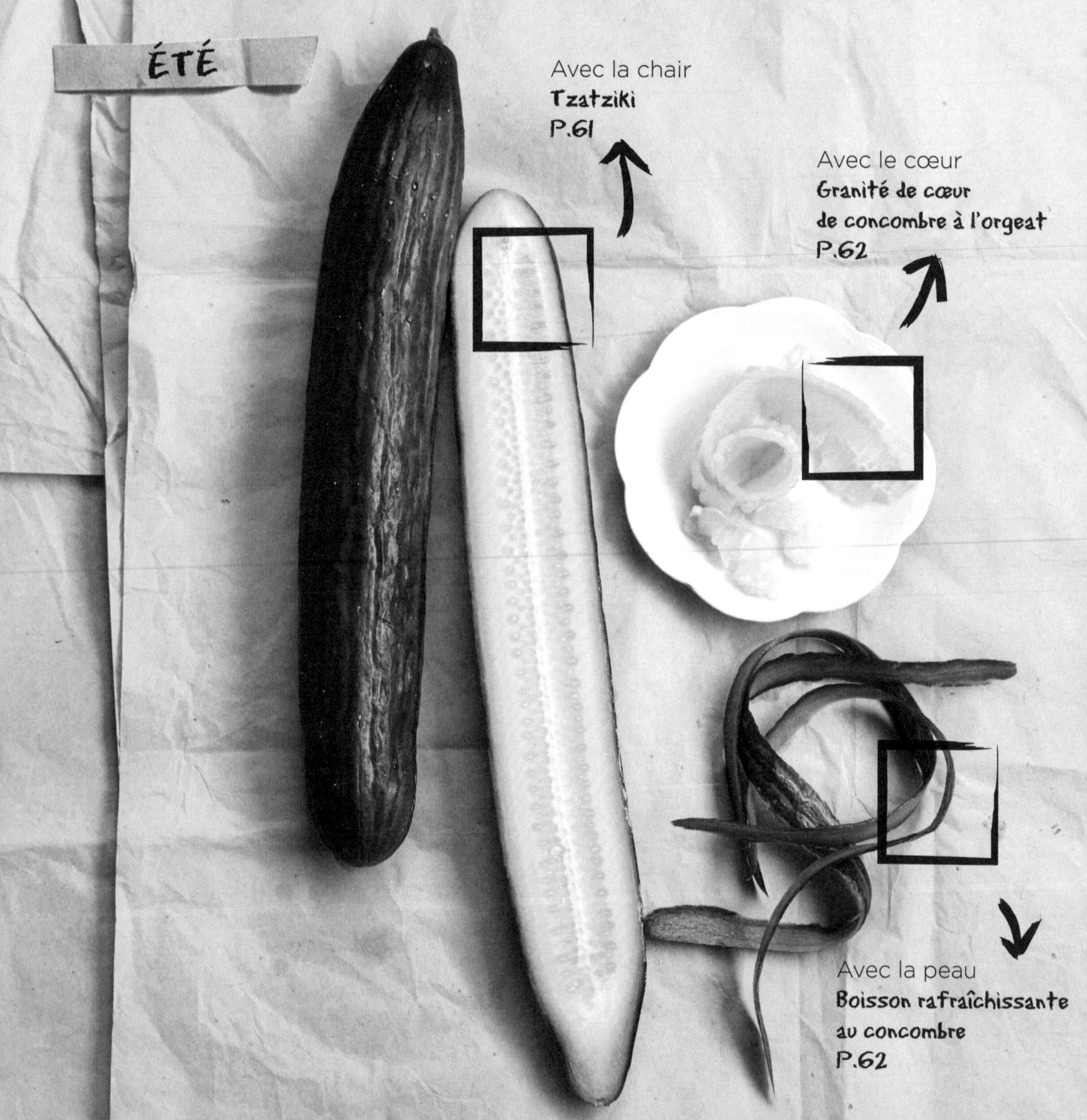

Tzatziki

Pour 1 bol
Préparation : 10 min

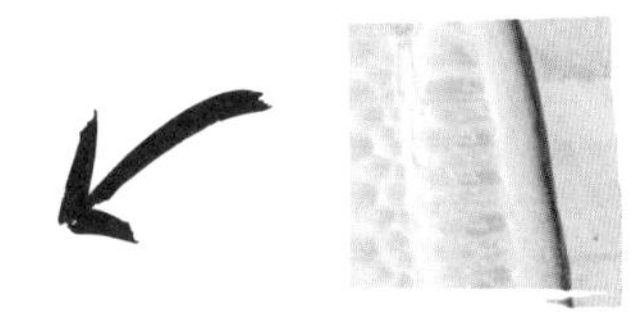

Avec
la chair

- 2 concombres
- 4 gousses d'ail
- 10 brins de ciboulette
- 2 yaourts à la grecque
- 2 c. à s. d'huile d'olive
- 1 c. à c. de sel de céleri
- 1 c. à s. de graines de sésame
- Pains pitas
- Poivre

Lavez les concombres et épluchez-les. Coupez-les en deux dans la longueur et retirez les pépins en raclant avec une cuillère à soupe. Réservez la peau et les pépins pour une autre recette.

Épluchez et dégermez les gousses d'ail.

Mixez la chair de concombre avec l'ail, la ciboulette, les yaourts et l'huile. Salez, poivrez, ajoutez les graines de sésame et mélangez.

Servez avec les pains pitas coupés en lanières et grillés.

La bonne idée

Faites dégorger les concombres dans une passoire avec du gros sel pendant 30 minutes. Il suffira de les rincer avant de les mixer.

Granité de cœur de concombre à l'orgeat

Avec le cœur

Pour 2 verres
Préparation : 15 min ▪ **Cuisson** : 3 min ▪ **Congélation** : 1 h

- Le cœur de 2 concombres
- 40 cl de lait d'amande
- 2 c. à s. de sirop d'orgeat
- 3 branchettes de mélisse

Faites chauffer le lait d'amande avec le sirop d'orgeat et la mélisse. Laissez refroidir à couvert.

Enlevez les branches de mélisse, puis mixez la pulpe de concombre avec le lait. Versez dans un plat à gratin et faites prendre au congélateur pendant 1 heure en raclant avec une cuillère toutes les 15 minutes pour donner l'aspect granité au mélange.

Servez dans des verres, puis dégustez immédiatement.

Boisson rafraîchissante au concombre

Avec la peau

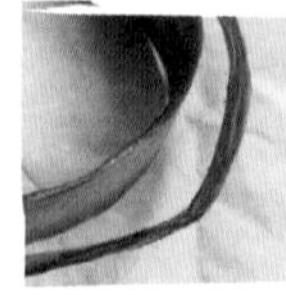

Pour 1 l
Préparation : 10 min ▪ **Réfrigération** : 2 h

- Les pelures de 1 concombre
- 10 feuilles de menthe fraîche
- 1 citron vert
- 1 l d'eau minérale
- 3 c. à s. de sirop de menthe

Lavez les pelures de concombre. Hachez grossièrement les feuilles de menthe. Coupez le citron en rondelles.

Mettez tous les ingrédients dans une carafe, versez l'eau et fermez avec du film alimentaire.

Laissez 2 heures au réfrigérateur. Consommez dans la journée.

ÉTÉ

LA COURGETTE

Docile, la courgette se mange à toutes les sauces, mais trop cuite, elle devient insipide. Cuisinez-la *al dente* et gardez sa belle peau verte pour plus de peps !

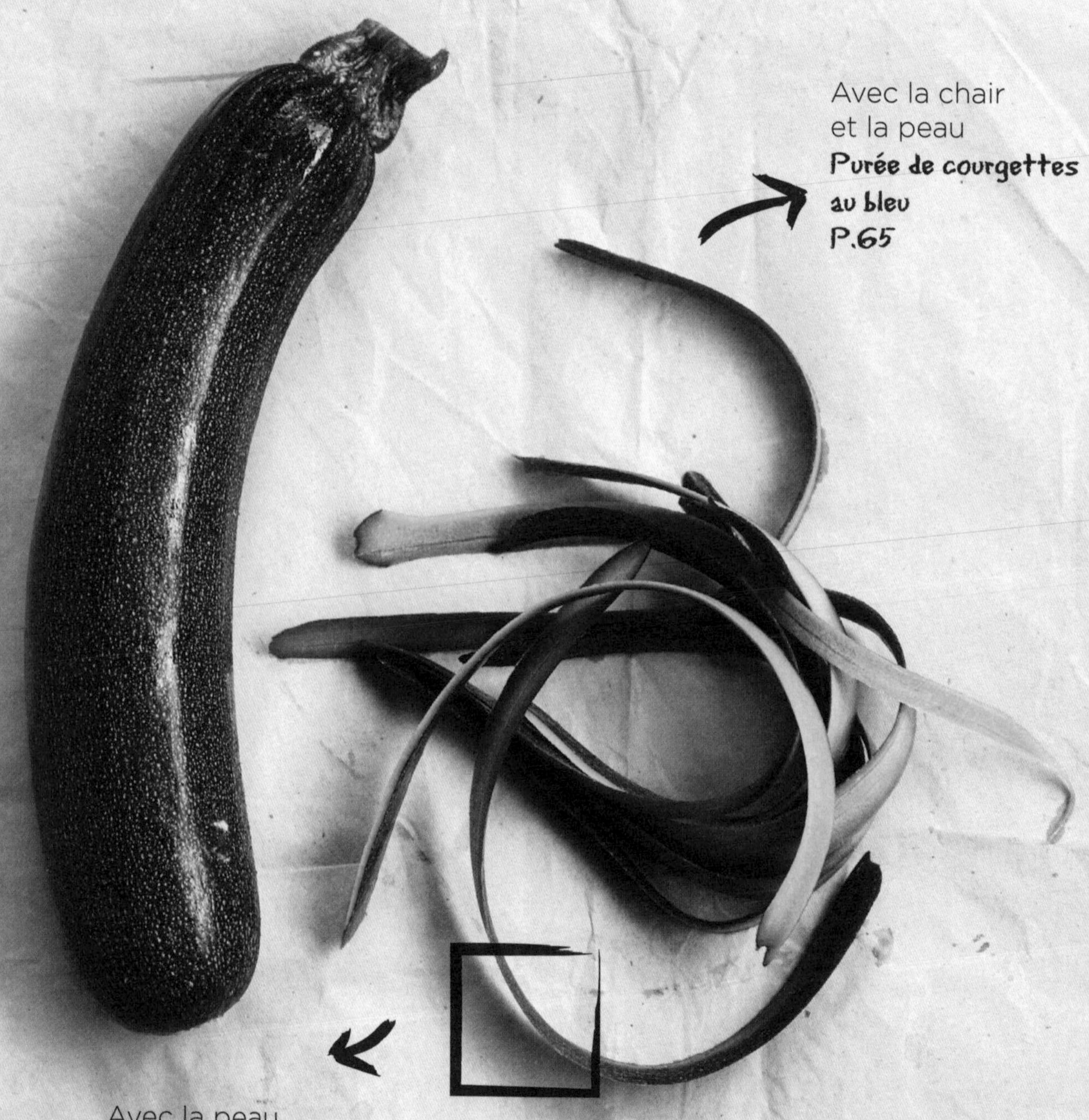

Avec la chair
et la peau
Purée de courgettes au bleu
P.65

Avec la peau
Acras aux peaux de courgettes
Rouleaux de courgettes au chèvre et au miel
P.66

Purée de courgettes au bleu

Avec
la chair
et la peau

Pour 4 personnes
Préparation : 10 min
Cuisson : 15 min

- 6 courgettes
- 2 pommes de terre
- 125 g de bleu
- 1/2 l de lait
- 50 g de beurre
- 2 c. à s. de crème fraîche épaisse
- 2 c. à c. de cumin
- 3 brins de persil
- Sel et poivre

Lavez les légumes et épluchez-les. Réservez la peau pour les recettes suivantes. Coupez-les en cubes.

Faites-les cuire dans le lait avec du sel et du poivre pendant 15 minutes.

Égouttez-les, puis écrasez-les à la fourchette en incorporant le beurre, la crème et le bleu en fines lamelles. Ajoutez le cumin, du sel, du poivre et servez avec du persil ciselé.

La bonne idée

Vous pouvez faire gratiner cette purée 5 minutes sous le gril avec quelques lamelles de bleu.

Acras aux peaux de courgettes

Avec la peau

Pour 6 personnes
Préparation : 10 min ▪ **Cuisson** : 15 min

- La peau de 6 courgettes
- 200 g de crevettes roses décortiquées
- 2 cives (ou ciboules)
- 1 petit oignon
- 1 gousse d'ail
- 1 petit piment rouge
- 20 brins de persil
- 200 g de farine
- 1/2 sachet de levure de boulanger
- 2 œufs
- Huile de friture
- Fleur de sel
- Sel et poivre

Faites cuire la peau des courgettes 5 minutes à la vapeur.

Épluchez les cives, l'oignon et l'ail. Épépinez le piment.

Mixez les peaux avec le piment, le persil et les crevettes.

Mélangez la farine, la levure, du sel, du poivre et les œufs. Ajoutez 10 cl d'eau tiède, puis versez la préparation pimentée et mélangez. Laissez lever 1 heure.

Faites chauffer une cocotte d'huile de friture, puis plongez des cuillerées de pâte dans le bain d'huile chaude. Laissez dorer 5 minutes, puis égouttez sur du papier absorbant. Servez avec de la fleur de sel.

Rouleaux de courgettes au chèvre et au miel

Avec la peau

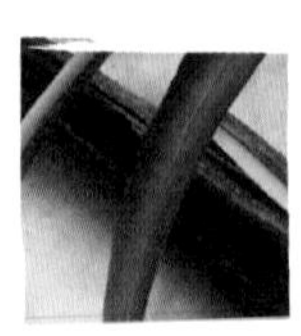

Pour 4 personnes
Préparation : 15 min ▪ **Cuisson** : 2 min

- La peau de 3 courgettes
- 1 petit chèvre frais (100 g)
- 10 amandes fraîches
- 3 c. à s. de miel de garrigue
- 3 branches de thym
- Sel et poivre

Faites blanchir la peau des courgettes 2 minutes dans l'eau bouillante salée. Égouttez-la puis épongez-la dans du papier absorbant.

Mélangez le chèvre, le miel, le thym, du sel et du poivre.

Déposez 1 petite cuillerée de farce sur une lanière de courgette et roulez-la. Déposez les rouleaux au fur et à mesure sur une assiette.

Posez une amande fraîche au centre et servez aussitôt.

LE CÉLERI-RAVE

Tout se mange dans le céleri,
ce qui donne place à une mine d'idées recettes !

Céleri rémoulade

Avec la chair

Pour 4 personnes
Préparation : 4 min

- 1 boule de céleri-rave
- 1 carotte
- 1 pomme verte
- 1 citron
- 1 jaune d'œuf
- 20 cl d'huile de tournesol
- 10 cl de crème fleurette
- 3 c. à s. de moutarde
- 1 c. à c. de sel de céleri
- Sel et poivre

Prélevez le zeste du citron puis pressez-le.

Épluchez le céleri et la carotte ; râpez-les, ainsi que la pomme avec sa peau. Ajoutez le zeste et le jus de citron. Réservez.

Préparez la mayonnaise en assemblant le jaune d'œuf et 1 cuillerée à soupe de moutarde dans un bol avec du sel et du poivre. Ajoutez l'huile en filet tout en fouettant avec un batteur.

Montez la crème fleurette en chantilly à l'aide d'un batteur. Mélangez-la à la mayonnaise, puis incorporez le reste de moutarde et de sel de céleri. Remuez le tout intimement et servez bien frais.

La bonne idée

Vous pouvez utiliser les parures du céleri pour parfumer vos bouillons ou l'eau de cuisson des pâtes et celle du riz. Il suffit de bien les brosser sous l'eau et de les blanchir dans l'eau bouillante.

Feuilles de céleri au sel

Avec les feuilles

Pour 1 bocal
Préparation : 10 min ▪ **Macération** : 2 semaines

- 1 saladier de feuilles de céleri
- 2 c. à s. de graines de céleri
- Gros sel

Lavez et séchez bien les feuilles de céleri. Hachez-les finement au couteau.

Disposez une couche de feuilles ciselées au fond d'un bocal stérilisé, puis saupoudrez de gros sel. Ajoutez des graines de céleri entre chaque couche. Renouvelez l'opération jusqu'en haut du bocal. Fermez-le et entreposez-le 2 semaines au frais.

La bonne idée
Les feuilles de céleri au sel peuvent se consommer en accompagnement de légumes ou pour relever une salade. Veillez à ne pas resaler ces préparations.

Confiture de branches de céleri

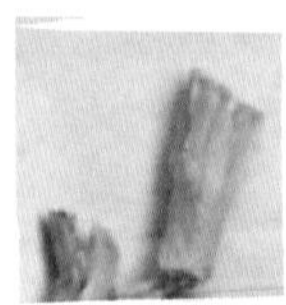
Avec les branches

Pour 2 pots
Préparation : 15 min ▪ **Macération** : 1 nuit ▪ **Cuisson** : 25 min

- 1 kg de côtes de céleri
- 1 kg de sucre
- Le jus de 1 citron

Épluchez les côtes de céleri puis coupez-les finement.

Faites-les macérer avec le sucre et le jus de citron pendant une nuit.

Récupérez le jus le lendemain et faites-le bouillir quelques minutes dans une cocotte à fond épais. Ajoutez le céleri et faites cuire 20 minutes en remuant.

Versez dans des pots stérilisés, fermez le couvercle, retournez les pots jusqu'à refroidissement, puis stockez à l'endroit à l'abri de la lumière.

La bonne idée
Cette confiture sera du meilleur effet sur un plateau de fromages !

ÉTÉ

LE FENOUIL

Le délicieux goût anisé du fenouil parfume de nombreux plats. Il apporte une note de fraîcheur durant tout l'été, mais très peu de calories.

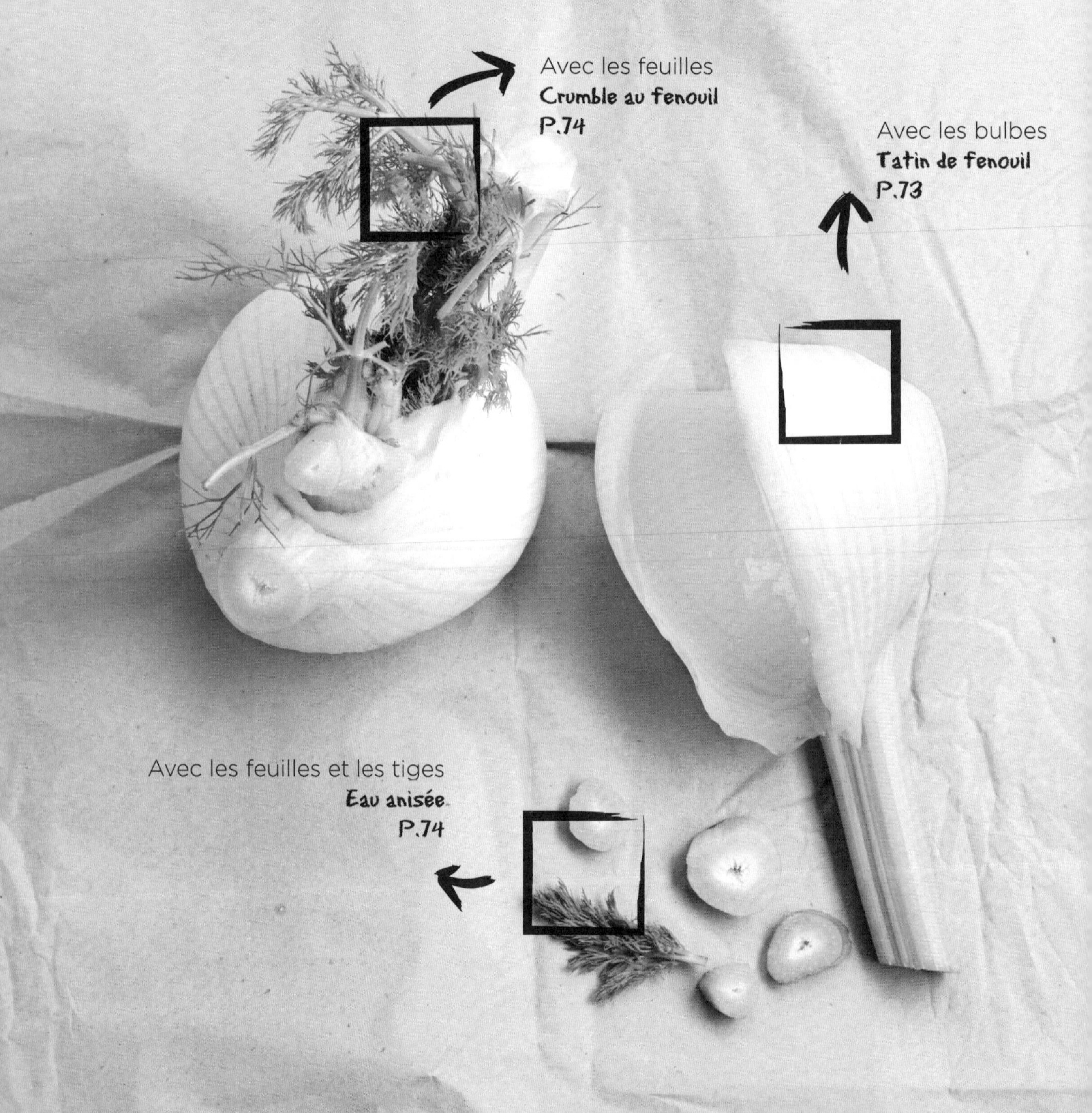

Tatin de fenouil

Avec les bulbes

Pour 4 personnes
Préparation : 15 min
Cuisson : 50 min

- 1 pâte feuilletée
- 2 bulbes de fenouil
- 3 oignons nouveaux avec les fanes
- 50 g de copeaux de parmesan
- 50 g de parmesan râpé
- 2 petites branches de thym frais
- 1 c. à s. de sucre
- 1 noix de beurre
- 3 c. à s. d'huile d'olive
- Sel et poivre

Lavez les fenouils. Coupez la base et les tiges ; enlevez les feuilles extérieures. Coupez les bulbes en tranches dans la hauteur. Coupez les oignons en deux dans la longueur.

Versez l'huile dans une grande poêle et faites revenir le fenouil avec les oignons pendant 5 minutes.

Parsemez de thym, de sucre, de sel, de poivre et ajoutez un demi-verre d'eau. Faites cuire 20 minutes à couvert, en retournant délicatement à mi-cuisson.

Préchauffez le four à 200 °C (th. 6-7). Disposez les ronds de fenouil dans un moule beurré en formant une fleur. Ajoutez les oignons dans les interstices et saupoudrez de parmesan. Recouvrez toute la surface de pâte. Enfournez pour 25 minutes.

Démoulez dès la fin de la cuisson. Parsemez de copeaux de parmesan et servez aussitôt.

Eau anisée

Avec les feuilles et les tiges

Pour 1,5 l de boisson
Préparation : 5 min ▪ **Réfrigération** : 2 h

- Les parures de 2 fenouils
- Le jus de 1 citron
- 1 étoile de badiane

- 1,5 l d'eau minérale
- 2 pincées de sel

Lavez les feuilles externes et les tiges des fenouils. Coupez-les en lanières.

Disposez-les dans une cruche avec le jus de citron, l'étoile de badiane et le sel. Versez l'eau minérale et réservez au frais pendant 2 heures.

Remuez, filtrez et servez bien frais au cours du repas.

Crumble au fenouil

Avec les feuilles

Pour 4 personnes
Préparation : 20 min ▪ **Cuisson** : 30 min

- Les feuilles externes de 4 fenouils
- 100 g de gorgonzola
- 100 g de farine
- 150 g de beurre + un peu pour le plat
- 40 g de poudre d'amandes

- 1 oignon
- 1 gousse d'ail
- 1 petit bouquet de persil
- 1 c. à s. de sucre
- Sel et poivre

Coupez les feuilles externes des fenouils en lanières. Faites-les cuire 5 minutes à la vapeur. Épluchez et hachez l'oignon.

Faites fondre 40 g de beurre dans une poêle ; faites-y revenir les lanières de fenouil et l'oignon avec le sucre pendant 5 minutes.

Mixez l'ail et le persil. Préchauffez le four à 180 °C (th. 6).

Mélangez du bout des doigts la farine, la poudre d'amandes, du sel, du poivre et le reste de beurre mou jusqu'à l'obtention de miettes grossières.

Disposez le fenouil dans un plat à gratin beurré, répartissez le gorgonzola, saupoudrez de persillade, puis de miettes de crumble. Enfournez pour 25 minutes.

LES FÈVES

Peu rentables, les fèves, pourtant délicieuses, ont trop souvent été délaissées. En utilisant les cosses, ce légume devient deux fois plus intéressant.

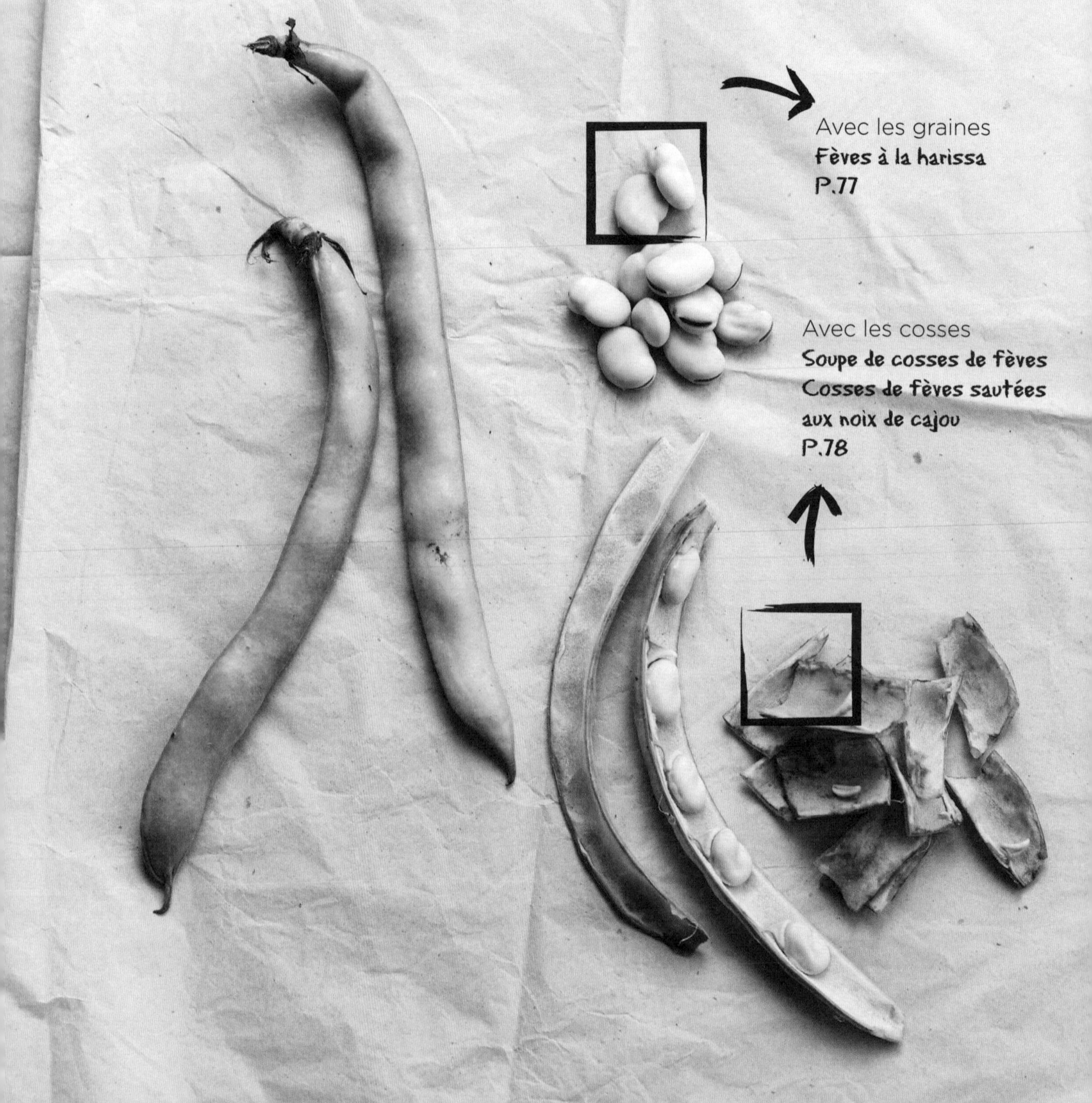

Avec les graines
Fèves à la harissa
P.77

Avec les cosses
Soupe de cosses de fèves
Cosses de fèves sautées aux noix de cajou
P.78

Fèves à la harissa

Avec les graines

Pour 4 personnes
Préparation : 30 min
Cuisson : 15 min

- 2 kg de fèves en gousses
- 20 cl d'huile d'olive
- Le jus de 1 citron
- 10 brins de coriandre
- 1 c. à c. de bicarbonate de soude
- 1 c. à s. rase de harissa
- 1 c. à s. de cumin en poudre
- Sel et poivre

Lavez les fèves puis écossez-les. Gardez les cosses pour les autres recettes.

Faites cuire les fèves dans de l'eau bouillante avec le bicarbonate, pendant 15 minutes.

Mélangez dans un saladier l'huile, le jus de citron, la harissa, le cumin, du sel et du poivre.

Plongez les fèves dans l'eau froide, égouttez-les, puis retirez la petite peau qui les entoure.

Ajoutez-les dans le saladier avec la sauce et servez avec de la coriandre ciselée.

Le bon conseil

Ce plat de fèves se mange chaud, en accompagnement d'une viande, ou froid en salade.

Soupe de cosses de fèves

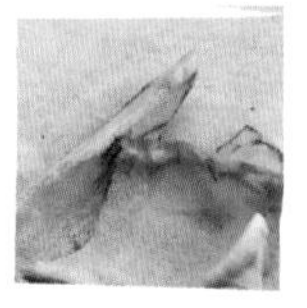

Avec les cosses

Pour 6 personnes
Préparation : 15 min ▪ **Cuisson** : 25 min

- 800 g à 1 kg de cosses de fèves
- 3 pommes de terre (300 g)
- 2 gousses d'ail
- 1 oignon
- 1 petit chèvre frais (200 g)
- 1 petit bouquet de menthe
- 5 cl d'huile d'olive
- 1 c. à c. de bicarbonate de soude
- Sel et poivre

Retirez les fils des cosses, puis coupez les gousses en tronçons.

Épluchez les pommes de terre, l'ail et l'oignon. Ciselez l'oignon, pressez l'ail, coupez les pommes de terre en morceaux.

Faites revenir l'oignon avec 3 cuillerées à soupe d'huile dans un faitout, ajoutez les cosses, les pommes de terre et la moitié de la menthe effeuillée. Couvrez d'eau, ajoutez du sel, le bicarbonate de soude et du poivre, puis laissez cuire 20 minutes à couvert.

Écrasez le chèvre avec l'ail, le reste de menthe ciselée et d'huile. Mélangez bien. Ajoutez du sel et du poivre, et réservez.

Mixez la soupe, passez-la si nécessaire. Servez-la avec la crème de chèvre.

Cosses de fèves sautées aux noix de cajou

Avec les cosses

Pour 4 personnes
Préparation : 15 min ▪ **Cuisson** : 15 min

- 1 kg de cosses de fèves
- 100 g de noix de cajou
- 1 oignon
- Le jus de 1 orange
- 1 petit bouquet de ciboulette
- 3 c. à s. d'huile de tournesol
- 1 c. à c. de purée de piment
- 2 c. à s. de graines de sésame noir
- 1 c. à s. d'huile de sésame
- 2 c. à s. de sauce soja
- 1 c. à c. de bicarbonate de soude
- Sel et poivre

Coupez les cosses en tronçons en enlevant les fils et la queue. Faites-les cuire 5 minutes dans l'eau bouillante salée avec le bicarbonate. Égouttez-les.

Épluchez l'oignon et coupez-le en rondelles. Faites-le revenir dans une poêle avec l'huile de tournesol, les noix de cajou, la purée de piment, du sel et du poivre. Ajoutez les cosses et les graines de sésame, puis faites cuire 10 minutes en remuant.

Mélangez dans un bol l'huile de sésame, la sauce soja et le jus d'orange.

Ciselez la ciboulette. Servez les cosses parsemées de ciboulette et de graines de sésame avec la sauce à part.

LE NAVET

Le navet n'est pas le plus glamour des légumes, mais utilisé jeune et cru, il saura vous séduire !

Avec la chair et la peau
Salade de navets crus au citron
P.81

Avec les fanes
Samosas de fanes de navets
Rœsti de fanes de navets
P.82

Salade de navets crus au citron

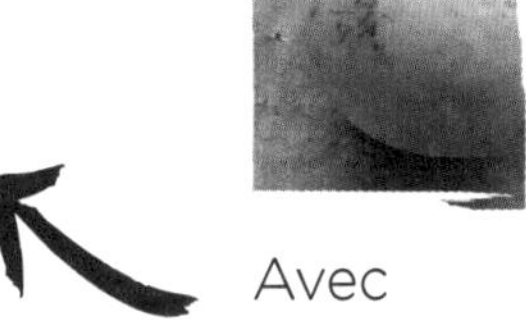

Avec la chair et la peau

Pour 4 personnes
Préparation : 10 min
Marinade : 1 h

- 1 botte de navets nouveaux
- Le jus de 2 citrons
- 1 c. à c. de purée de piment
- 1 c. à c. de fleur de sel

Lavez les navets. Enlevez les fanes et la fine racine. Coupez les navets en tranches fines à la mandoline.

Disposez-les dans un plat. Arrosez-les du jus des citrons, de purée de piment et de fleur de sel. Mélangez bien et couvrez.

Laissez mariner au frais pendant 1 heure. Servez en entrée avec du pain.

Le bon conseil

Pour cette recette pleine de croquant, gardez la belle peau rosée des jeunes navets !

Samosas de fanes de navets

Avec les fanes

Pour 4 personnes
Préparation : 20 min ▪ **Cuisson** : 25 min

- 1 pâte brisée
- Les fanes de 1 botte de navets nouveaux
- Les fanes vertes de 2 oignons nouveaux
- 150 g de fèves cuites
- 100 g de mélange de graines grillées salées (cacahuètes, noix de cajou, amandes)
- 10 brins de persil
- 1 petit fromage de brebis frais
- 1 jaune d'œuf
- 2 c. à s. d'huile d'olive
- Sel et poivre

Lavez les fanes de navets et d'oignons. Ciselez-les et faites-les cuire à la vapeur 5 minutes.

Mixez les graines avec le persil, les fèves, le fromage et l'huile d'olive. Salez et poivrez.

Préchauffez le four à 180 °C (th. 6). Étalez finement la pâte et découpez des ronds de 20 cm de diamètre avec un verre ou un emporte-pièce. Déposez 1 cuillerée de farce et repliez le rond en demi-lune. Scellez les bords en appuyant bien avec les doigts. Badigeonnez de jaune d'œuf mélangé à 1 cuillerée à soupe d'eau.

Déposez les samosas sur une plaque recouverte de papier cuisson et enfournez pour 20 minutes. Servez avec une salade.

Rœsti de fanes de navets

Avec les fanes

Pour 6 rœsti
Préparation : 20 min ▪ **Cuisson** : 5 min

- Les fanes de 1 botte de navets
- 2 pommes de terre
- 6 tranches de pancetta
- 150 g de gruyère râpé
- 2 œufs
- 3 c. à s. d'huile
- Sel et poivre

Coupez les fanes finement. Épluchez les pommes de terre et râpez-les.

Battez les œufs avec du sel et du poivre. Ajoutez-y le fromage, les fanes et les pommes de terre.

Faites chauffer l'huile dans une poêle, déposez des petits tas de pâte et recouvrez-les d'une tranche de pancetta. Retournez les rœsti au bout de 2 à 3 minutes et poursuivez la cuisson côté pancetta encore 2 minutes.

Servez bien chaud avec une salade.

LES PETITS POIS

Comme les cosses de fèves, celles des petits pois peuvent se manger, il suffit de les blanchir et de les passer au presse-purée pour enlever tous les fils.

Avec les graines
Mousse de petits pois au fromage de brebis
P.85

Avec les cosses
Gnocchis de cosses de petits pois
Chouquettes de cosses de petits pois au parmesan
P.86

Mousse de petits pois au fromage de brebis

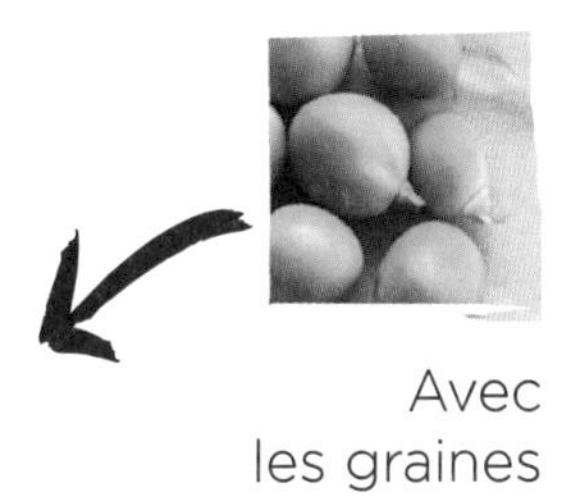

Avec les graines

Pour 4 personnes
Préparation : 20 min
Cuisson : 5 min

- 1 kg de petits pois en cosses
- 1 fromage frais de brebis
- 20 cl de crème fleurette
- 10 cerneaux de noix
- 3 c. à s. d'huile de noix
- 1 c. à c. de bicarbonate de soude
- Sel et poivre

Écossez les petits pois. Faites-les cuire 5 minutes dans l'eau bouillante salée avec le bicarbonate. Plongez-les dans l'eau froide et égouttez-les.

Mixez-les finement avec l'huile, du sel et du poivre.

Montez la crème en chantilly. Écrasez le fromage, salez et poivrez-le puis mélangez-le à la crème.

Disposez une couche de purée de petits pois dans des verres à tapas, saupoudrez de noix concassées, puis de mousse de brebis et terminez par des éclats de noix et un peu de poivre. Servez frais.

Gnocchis de cosses de petits pois

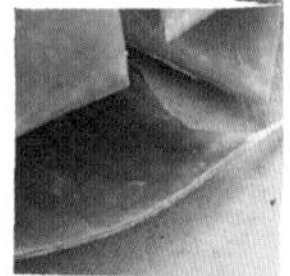

Avec les cosses

Pour 4 personnes
Préparation : 30 min ▪ **Cuisson** : 25 min

- 400 g de pommes de terre farineuses de type bintje
- 400 g de cosses de petits pois
- 1 œuf + 1 jaune
- 250 g de farine + pour le plan de travail
- 100 g de comté râpé
- 20 cl de crème liquide entière
- 1 c. à c. de bicarbonate de soude
- 2 c. à s. d'huile d'olive
- 1 pincée de noix de muscade râpée
- Sel et poivre

Épluchez les pommes de terre et coupez-les en morceaux. Coupez les cosses de petits pois en deux ou trois. Faites cuire les pommes de terre 20 minutes dans l'eau bouillante salée. Ajoutez les cosses et le bicarbonate au bout de 10 minutes.

Égouttez, puis passez le tout au presse-purée. Ajoutez l'huile, du sel, du poivre et les œufs. Mélangez bien, puis ajoutez la farine et remuez.

Farinez un plan de travail, prélevez des boules de pâte et roulez-les en boudin. Coupez-les en tronçons puis plongez-les dans de l'eau bouillante salée. Retirez-les au fur et à mesure qu'ils remontent à la surface et plongez-les aussitôt dans un saladier d'eau froide.

Faites chauffer dans une casserole, à feu doux, la crème avec du sel, du poivre et la muscade. Ajoutez les gnocchis et laissez réchauffer 5 minutes avant de servir avec du comté râpé.

Chouquettes de cosses de petits pois au parmesan

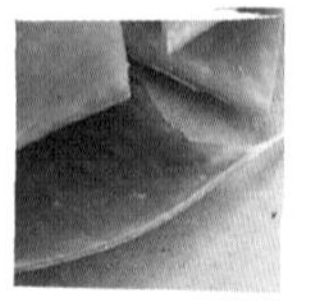

Avec les cosses

Pour 20 chouquettes environ
Préparation : 20 min ▪ **Cuisson** : 30 min

- 200 g de cosses de petits pois
- 120 g de parmesan râpé
- 140 g de farine
- 120 g de beurre
- 4 œufs
- 1 c. à c. de sel
- Poivre

Faites cuire 10 minutes à la vapeur les cosses préalablement coupées en deux. Passez-les au presse-purée. Laissez refroidir.

Faites chauffer 25 cl d'eau dans une casserole avec le sel, le poivre et le beurre. Lorsque ce dernier est fondu, ajoutez la farine d'un coup. Mélangez pendant 2 à 3 minutes, puis quand la pâte se décolle ajoutez les œufs un par un, en remuant bien.

Préchauffez le four à 180 °C (th. 6). Ajoutez dans la casserole la purée de cosses et 80 g de parmesan, puis mélangez. Disposez des cuillerées de pâte sur une plaque recouverte de papier cuisson en les espaçant bien. Saupoudrez du reste de parmesan. Enfournez pour 20 à 30 minutes sans ouvrir la porte du four. Servez aussitôt.

LE POIREAU

Incontournable légume d'hiver, le poireau a tout bon, de la tête au pied !

HIVER

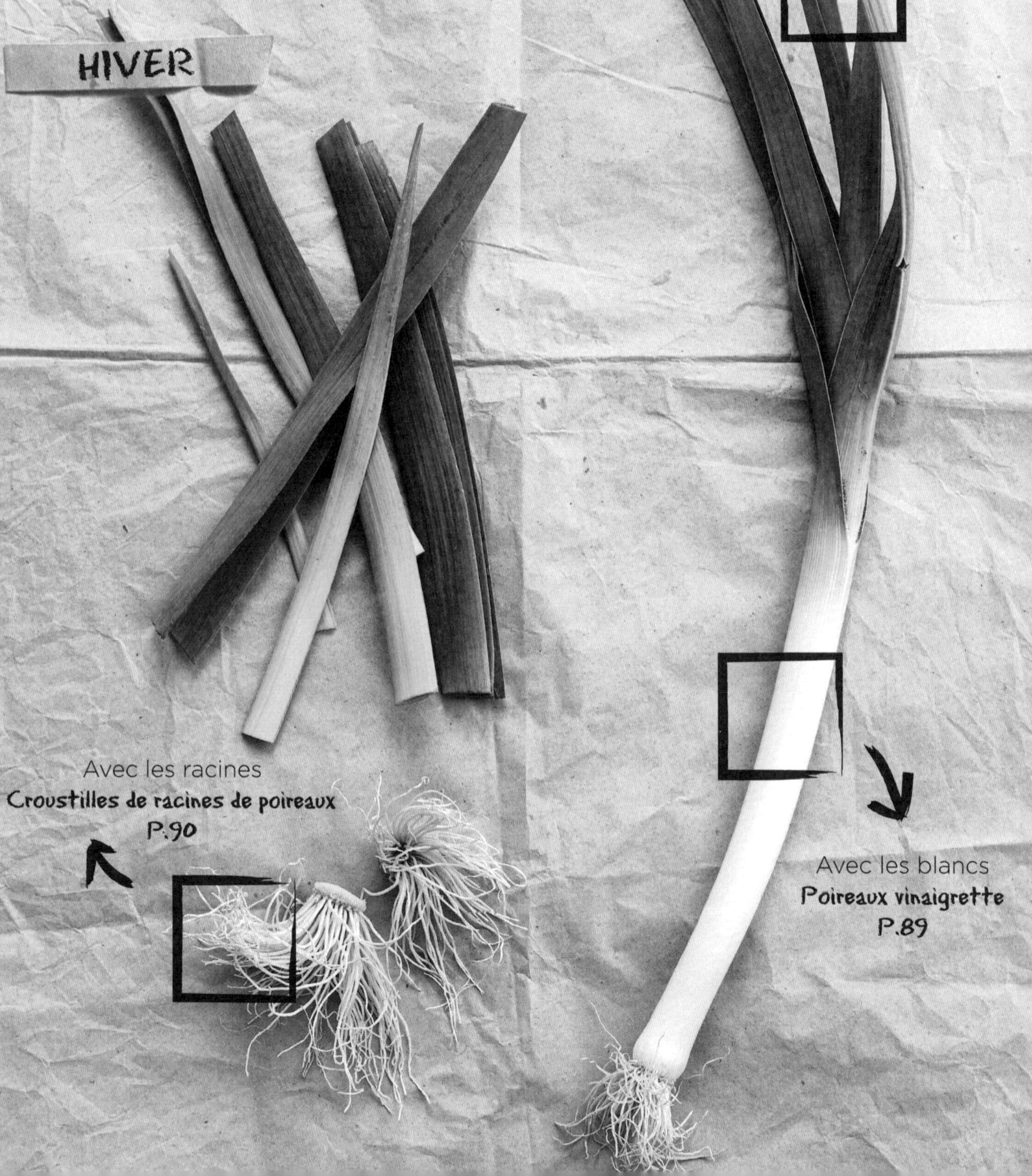

Avec le vert des feuilles
Flamiche au vert de poireau
P.90

Avec les racines
Croustilles de racines de poireaux
P.90

Avec les blancs
Poireaux vinaigrette
P.89

Poireaux vinaigrette

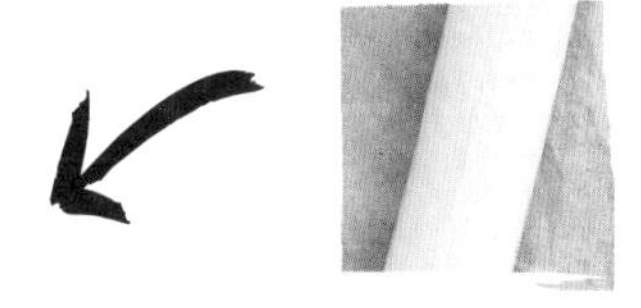

Avec
les blancs

Pour 4 personnes
Préparation : 10 min
Cuisson : 10 min

- 12 poireaux pas trop gros
- Le jaune de 1 œuf dur
- 6 c. à s. d'huile d'olive
- 1 c. à s. de vinaigre de cidre
- 1 c. à s. de moutarde
- Sel et poivre

Mettez de côté le vert des poireaux et les racines pour une autre recette. Fendez les blancs de moitié dans la hauteur. Lavez-les sous l'eau courante.

Faites cuire les blancs 10 minutes à la vapeur.

Fouettez l'huile avec le vinaigre, la moutarde, du sel et du poivre.

Ajoutez le jaune d'œuf écrasé, puis servez les poireaux tièdes avec la sauce à part.

La bonne idée

Pour plus de légèreté, montez le blanc d'œuf en neige et incorporez-le délicatement à la sauce.

Flamiche au vert de poireau

Avec le vert des feuilles

Pour 6 personnes
Préparation : 15 min ▪ **Cuisson** : 55 min

- 1 pâte brisée
- Le vert de 12 poireaux
- 3 oignons nouveaux avec les fanes
- 4 œufs
- 50 g de beurre
- 20 cl de crème épaisse
- 20 cl de crème liquide
- 1 c. à s. de sucre
- 1 pincée de noix de muscade râpée
- Sel et poivre

Coupez finement le vert des poireaux. Faites-les cuire à l'eau bouillante salée pendant 10 minutes. Égouttez-les bien.

Faites-les revenir dans une poêle avec le beurre et les petits oignons ciselés. Ajoutez le sucre et faites fondre sur feu doux pendant 10 minutes.

Préchauffez le four à 180 °C (th. 6). Battez dans un bol les œufs avec les crèmes, la muscade, du sel et du poivre.

Étalez la pâte dans un moule, puis disposez la poêlée de poireaux et versez la crème. Enfournez pour 35 minutes. Servez chaud.

Croustilles de racines de poireaux

Avec les racines

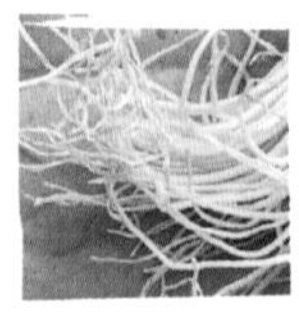

Pour l'apéritif
Préparation : 10 min ▪ **Cuisson** : 35 min

- 12 racines de poireaux
- 1 l d'huile de friture
- 1 c. à c. de paprika
- Sel et poivre

Coupez les radicelles de poireaux au ras de la racine. Lavez-les soigneusement puis faites-les cuire dans une casserole d'eau salée pendant 30 minutes. Égouttez-les bien et séchez-les dans du papier absorbant.

Faites chauffer l'huile dans une friteuse, puis plongez les radicelles de poireaux pendant 5 minutes dans l'huile.

Égouttez-les sur du papier absorbant, saupoudrez-les de sel, de poivre et de paprika, et servez aussitôt.

LE POIVRON

Rouge, vert, orange ou jaune, le poivron est plein de vitamines. On lui reproche toutefois d'être difficile à digérer : il suffit pourtant de le blanchir pour éviter ce désagrément et pour échapper au fastidieux épluchage.

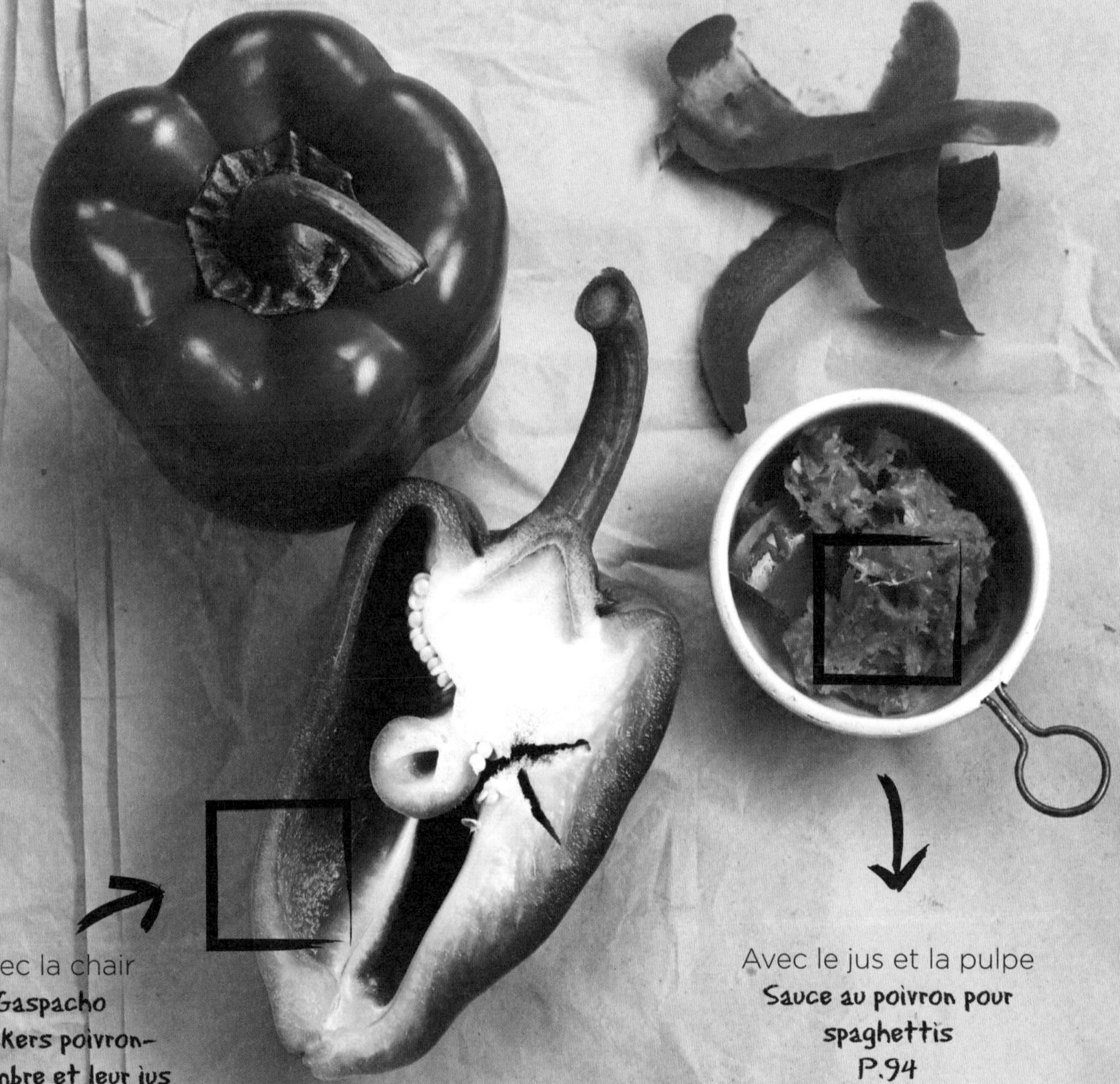

Avec la chair
Gaspacho
Crackers poivron-gingembre et leur jus
P.93

Avec le jus et la pulpe
Sauce au poivron pour spaghettis
P.94

Gaspacho

Pour 4 personnes
Préparation : 15 min ▪ **Cuisson** : 3 min

- 3 tranches de pain de mie rassis
- 1 petit verre de vinaigre de Xérès
- 1 poivron rouge
- 1 concombre
- 4 tomates
- 1 gousse d'ail
- 3 petits oignons blancs avec les fanes
- 1 bouquet de basilic
- 20 cl d'huile d'olive
- Sel et poivre

Émiettez grossièrement le pain de mie dans un bol et versez le vinaigre dessus.

Plongez le poivron 2 à 3 minutes dans une casserole d'eau bouillante salée. Lavez les légumes, épluchez le concombre et l'ail, épépinez le poivron et enlevez les racines et les premières feuilles des oignons, si nécessaire.

Coupez tous ces ingrédients en morceaux, ainsi que les tomates ; mixez-les dans un blender avec la mie de pain et le basilic. Ajoutez l'huile progressivement, puis de l'eau très froide jusqu'à l'obtention de la consistance voulue, ni trop liquide ni trop épaisse. Salez et poivrez.

Gardez au frais jusqu'au moment de servir.

Crackers poivron-gingembre et leur jus

Pour 6 personnes
Préparation : 15 min ▪ **Cuisson** : 15 min

- 3 poivrons rouges
- 2 cm de gingembre
- 1 pomme rouge
- 160 g de farine + un peu pour le plan de travail
- 4 c. à s. d'huile d'olive
- 1 c. à c. de fleur de sel
- 1 c. à s. de thym + un peu pour la cuisson
- Sel et poivre

Lavez les poivrons et la pomme. Épépinez-les puis passez-les dans la centrifugeuse avec le gingembre.

Préparez les crackers avec le reste de pulpe. Mélangez la farine et l'huile, ajoutez la pulpe, le thym, du sel, du poivre et remuez.

Préchauffez le four à 180 °C (th. 6). Étalez la pâte sur un plan de travail fariné et coupez-la avec un emporte-pièce ou en carrés avec un couteau. Disposez ces carrés sur une plaque recouverte de papier cuisson, badigeonnez-les d'eau avec un pinceau et saupoudrez-les de fleur de sel et d'un peu de thym. Piquez-les avec une fourchette et enfournez pour 15 minutes.

Laissez-les refroidir sur une grille et servez-les à l'apéritif avec le jus de poivron au gingembre.

voir photo P.95 →

Sauce au poivron pour spaghettis

Avec le jus et la pulpe

Pour 4 personnes
Préparation : 10 min
Cuisson : 5 min

Pour le jus
- 4 poivrons rouges
- 2 carottes
- 1 tomate
- 1 branche de céleri
- 1 bouquet de basilic

Pour la sauce
- 1 pot de Philadelphia® (150 g)
- 1 gousse d'ail
- 1 oignon
- 10 cl d'huile d'olive
- 1 c. à c. de thym
- 1 c. à c. d'origan
- Sel et poivre

Lavez les légumes, épépinez les poivrons, coupez tout en morceaux et passez à la centrifugeuse. Réservez le jus.

Préparez la sauce. Épluchez l'ail et l'oignon, ciselez-les, puis faites-les revenir dans une poêle avec 3 cuillerées à soupe d'huile.

Ajoutez la pulpe de la centrifugeuse, le thym, l'origan, du sel, du poivre et faire cuire 5 minutes en remuant. Versez 10 cl de jus et mélanger.

Retirez du feu. Ajoutez la crème Philadelphia® et le reste d'huile en mélangeant vivement. Servez cette sauce sur des spaghettis avec le basilic ciselé et le jus à part, en boisson.

La bonne idée

Cette sauce accompagnera tout aussi bien du riz ou des pommes de terre vapeur.

LE POTIRON

Les recettes proposées ici sont réalisées avec du potiron, mais toutes les courges (potimarron, courges muscade et butternut, etc.) peuvent se prêter au jeu : chacune a sa personnalité et saura apporter variété et couleur durant presque toute l'année.

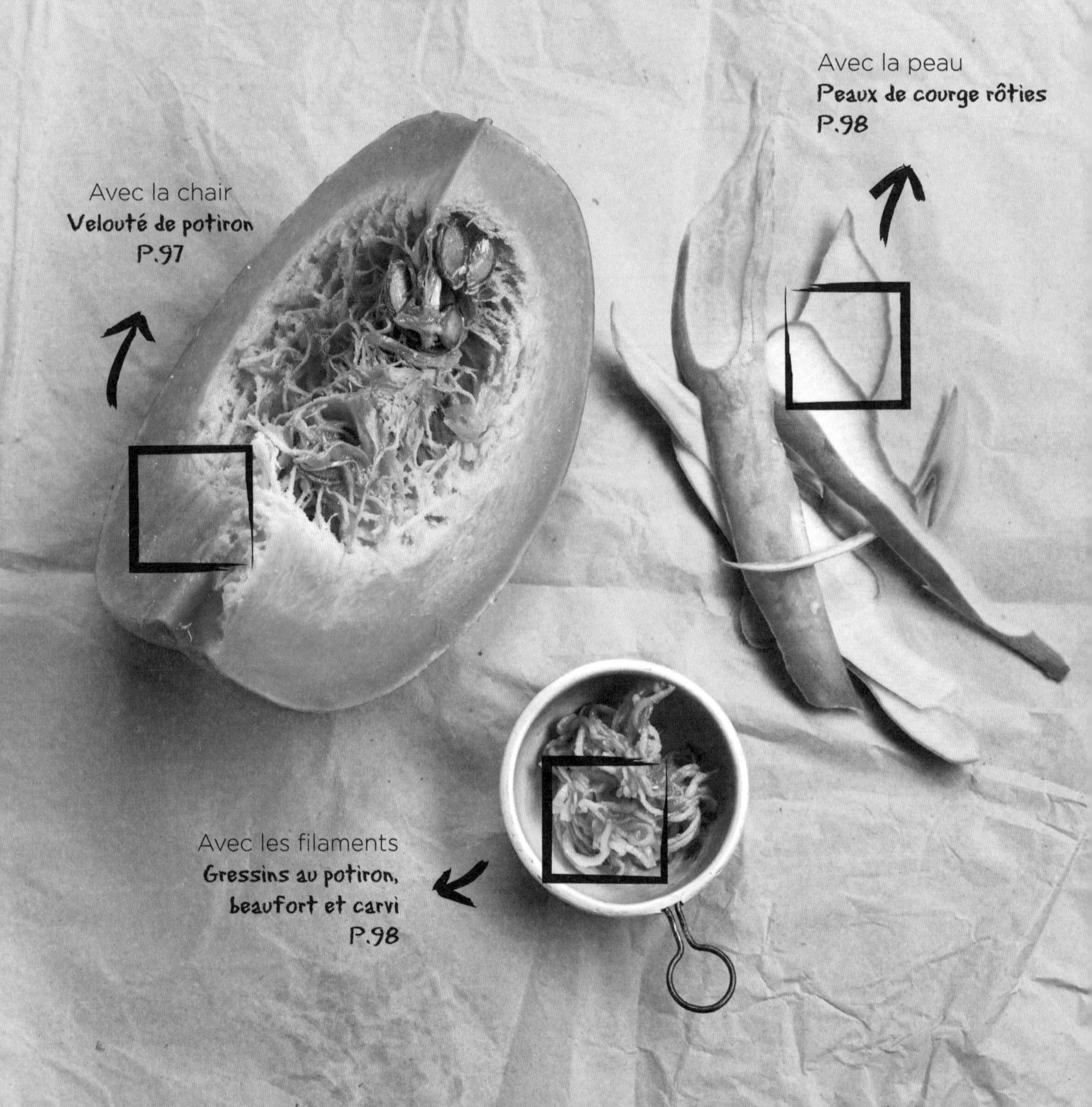

Avec la peau
Peaux de courge rôties
P.98

Avec la chair
Velouté de potiron
P.97

Avec les filaments
Gressins au potiron, beaufort et carvi
P.98

Velouté de potiron

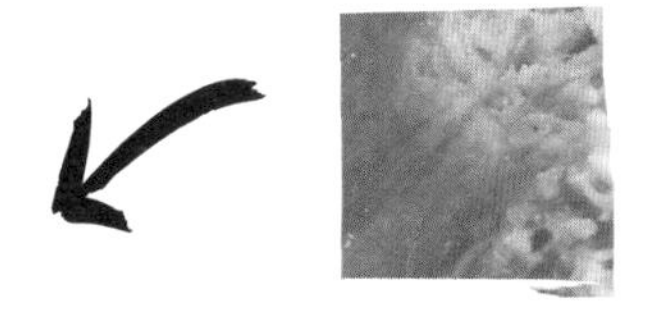

Avec la chair

Pour 4 personnes
Préparation : 15 min
Cuisson : 25 min

- 500 g de potiron
- 2 oignons
- 1 l de bouillon de poule
- 1 gros morceau de pain de la veille
- 1 gousse d'ail
- 1/2 bouquet de persil
- 1 poignée de noisettes
- 4 c. à s. d'huile d'olive
- 1 c. à s. d'huile de courge
- 1 c. à s. rase de gros sel
- 1 pincée de noix de muscade râpée
- Poivre

Lavez le potiron, épluchez-le, enlevez les filaments et les graines. Coupez la chair en morceaux.

Épluchez les oignons et ciselez-les. Faites-les revenir dans le faitout avec 2 cuillerées à soupe d'huile d'olive pendant 5 minutes. Ajoutez le potiron et la noix de muscade, versez le bouillon, salez et poivrez. Faites cuire à couvert 15 minutes.

Coupez le pain en cubes, hachez l'ail, les noisettes et le persil. Faites revenir le tout dans une poêle avec le reste d'huile d'olive pendant 5 minutes, en retournant les morceaux plusieurs fois.

Mixez la soupe finement, servez avec les croûtons et quelques gouttes d'huile de courge.

Peaux de courge rôties

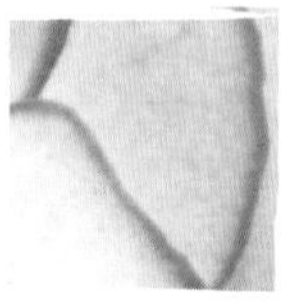
Avec la peau

Pour 4 personnes
Préparation : 5 min ▪ **Cuisson** : 20 min

- Les pelures de 1 courge (potiron ou butternut)
- 10 cl d'huile d'olive
- 1 citron vert
- 1 c. à s. de thym
- 1 c. à c. de cumin en poudre
- 1 c. à c. de romarin en poudre
- 1 c. à c. de fleur de sel
- Poivre

Recoupez les peaux de la courge en morceaux plus ou moins réguliers. Placez-les dans un saladier et versez l'huile et les épices. Salez et poivrez. Mélangez bien.

Préchauffez le four à 180 °C (th. 6). Tapissez une plaque allant au four de papier cuisson. Étalez les pelures de courge sur une seule épaisseur, puis enfournez pour 20 minutes. Remuez en cours de cuisson.

Servez bien chaud avec des morceaux de citron vert.

Gressins au potiron, beaufort et carvi

Avec les filaments
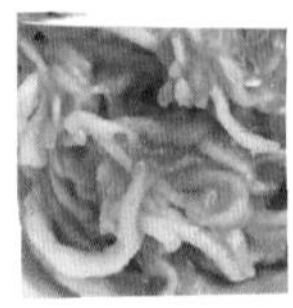

Pour 20 gressins
Préparation : 10 min ▪ **Cuisson** : 10 min

- 1 pâte feuilletée
- Les filaments de 1 potiron
- 100 g de beaufort
- 1 c. à c. de graines de carvi
- Fleur de sel
- Poivre

Préchauffez le four à 200 °C (th. 6-7). Râpez le beaufort.

Étalez la pâte et coupez-la en bandes de 2 cm de large environ. Disposez-les sur une plaque recouverte de papier cuisson.

Répartissez les filaments de potiron sur les bandes de pâte, saupoudrez de graines de carvi et de beaufort. Salez et poivrez. Torsadez les bandes de pâte sur elles-mêmes. Enfournez pour 10 minutes.

Laissez refroidir sur une grille ou mangez les gressins chauds avec une soupe ou en apéritif.

La bonne idée

Faites griller les graines de courge 30 minutes dans un four à 150 °C (th. 5). Décortiquez-les et servez-les avec du sel en apéritif ou dans une salade.

LE RADIS ROSE

Long ou rond, le radis annonce le printemps.
Ses fanes, souvent jetées, sont si bonnes à manger
qu'il serait dommage de s'en priver.

Avec les fanes
Soupe de fanes de radis
Tartinade de fanes de radis
P.102

Avec la chair
Salade de printemps
P.101

Salade de printemps

Avec
la chair

Pour 6 personnes
Préparation : 15 min
Cuisson : 30 min

- 1 botte de radis roses
- 200 g de fèves en gousses
- 150 g de lardons
- 100 g de tomates cerises
- 1 grosse poignée de mesclun
- 3 œufs
- 10 cl de vinaigrette
- 1 c. à c. de câpres
- Sel

Faites cuire les œufs 10 minutes dans une casserole d'eau salée.

Lavez les légumes et égouttez-les bien. Coupez les fèves en tronçons sans les écosser. Faites-les cuire ainsi dans une casserole d'eau bouillante salée pendant 15 minutes.

Enlevez les fanes et la racine des radis. Coupez les radis avec un rasoir à légumes ou un économe dans le sens de la longueur. Coupez les tomates en deux.

Mettez les lardons à cuire dans une poêle pendant 5 minutes.

Écalez les œufs et coupez-les en deux, puis égouttez les fèves et enlevez la petite peau.

Assemblez tous les ingrédients dans un grand saladier. Arrosez de vinaigrette, mélangez bien et servez aussitôt.

Soupe de fanes de radis

Avec les fanes

Pour 4 personnes
Préparation : 15 min ▪ **Cuisson** : 20 min

- Les fanes de 1 botte de radis
- 2 pommes de terre
- 1 oignon
- 50 g de roquefort
- 1 l de bouillon de poule
- 10 cl de crème épaisse
- 3 c. à s. d'huile d'olive
- Poivre

Lavez les fanes de radis et égouttez-les. Épluchez l'oignon et les pommes de terre. Ciselez l'oignon et coupez les pommes de terre en morceaux.

Faites revenir l'oignon dans un faitout avec l'huile. Ajoutez les pommes de terre et les fanes. Couvrez de bouillon et faites cuire 15 minutes.

Écrasez à la fourchette la crème avec le roquefort. Poivrez.

Mixez la soupe. Ajoutez 1 cuillerée de crème au roquefort et dégustez !

Tartinade de fanes de radis

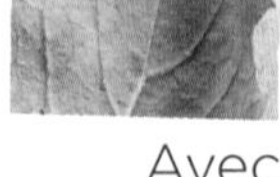

Avec les fanes

Pour 4 personnes
Préparation : 10 min

- Les feuilles de 1 botte de radis
- 50 g de chèvre Sainte-Maure©
- 50 g de fromage blanc
- 1 poignée de cerneaux de noix
- 1 poignée de raisins secs
- 1 c. à s. d'écorce de citron confit (voir p. 116)
- Sel et poivre

Lavez les fanes et séchez-les bien. Coupez-les finement.

Écrasez le chèvre avec le fromage blanc. Ajoutez les cerneaux de noix concassés, les raisins secs et l'écorce de citron confit coupée finement. Salez, poivrez et mélangez.

Servez sur des tartines de pain grillé.

La bonne idée

En fouettant 10 cl d'huile d'olive à cette pâte, vous obtiendrez une sauce de salade originale.

LA TOMATE

Fruit souvent classé en légume, la tomate est la reine de l'été. Une multitude de variétés s'invite à nos tables, chacune avec ses qualités.

Avec la chair
Tarte fine à la tomate et moutarde à l'ancienne
P.105
Confiture de tomates vertes
P.106

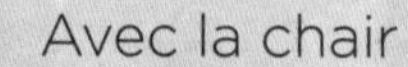

Avec la peau
Chips de peaux de tomates
Tapenade de peaux de tomates et olives vertes
P.108

Avec le jus et les pépins
Marinade au jus de tomate
P.106

Tarte fine à la tomate et moutarde à l'ancienne

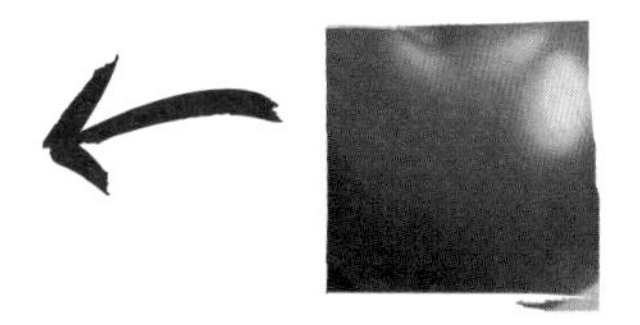

Avec la chair

Pour 6 personnes
Préparation : 15 min
Cuisson : 20 min

- 1 pâte brisée
- 3 tomates
- 2 boules de mozzarella di buffala
- 1 gousse d'ail
- Quelques feuilles de basilic
- 4 c. à s. de moutarde à l'ancienne
- 3 c. à s. d'huile d'olive
- 1 c. à s. de graines de fenouil
- 1 c. à c. d'origan
- Sel et poivre

Ébouillantez les tomates et pelez-les. Coupez-les en tranches et épépinez-les au-dessus d'un bol pour en récupérer le jus. Laissez-les s'égoutter dans une passoire au-dessus du bol.

Égouttez la mozzarella et coupez-la en tranches.

Préchauffez le four à 200 °C (th. 6-7). Étalez la pâte sur une plaque allant au four recouverte de papier cuisson et piquez-la avec une fourchette.

Étalez la moutarde sur le fond, répartissez les tranches de tomates et de mozzarella sur la moutarde en alternant. Saupoudrez de graines de fenouil, d'origan, de sel et de poivre. Arrosez avec l'huile d'olive et enfournez pour 20 minutes.

Servez dès la sortie du four avec le basilic ciselé et l'ail pressé.

voir photo P.107

Marinade au jus de tomate

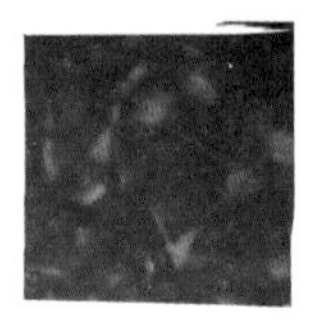

Avec le jus et les pépins

Pour une marinade
Préparation : 5 min ▪ **Marinade** : 1 h ▪ **Cuisson** : 15 min

- Le jus et les pépins de 6 tomates
- Le jus de 1 citron
- 5 cl d'huile d'olive
- 2 cm de gingembre
- 1 c. à c. de purée de piment
- Sel et poivre

Mélangez le jus et les pépins des tomates avec le jus de citron, puis ajoutez l'huile et fouettez.

Râpez le gingembre. Ajoutez-le à la sauce avec la purée de piment, du sel et du poivre.

Versez cette marinade sur un dos de cabillaud, par exemple, et laissez mariner 1 heure au frais.

Faites cuire au four 15 minutes.

Le bon conseil

Cette marinade peut se conserver 2 jours au frais avant utilisation.

Chips de peaux de tomates

Avec la peau

Pour 1 bol
Préparation : 5 min ▪ **Cuisson** : 3 h

- La peau de 10 tomates
- 1 c. à c. de sel de céleri
- Poivre

Préchauffez le four à 80 °C (th. 2-3).

Disposez la peau des tomates sur une plaque allant au four recouverte de papier cuisson. Saupoudrez-les de sel de céleri et de poivre, et enfournez pour 3 heures.

Laissez-les refroidir dans le four en laissant la porte ouverte. Dégustez-les à l'apéritif !

La bonne idée

Vous pouvez les mixer finement avec du basilic séché et en saupoudrer vos plats de pâtes ou de viande.

Confiture de tomates vertes

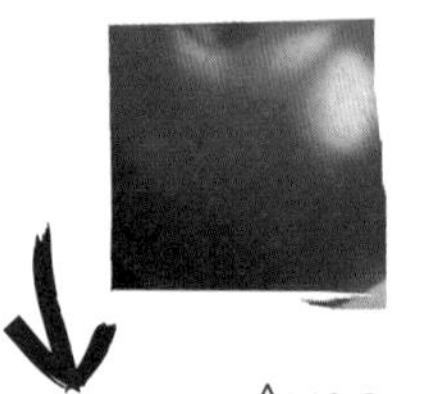

Avec
la chair

Pour 2 pots
Préparation : 10 min ▪ **Macération** : 1 nuit ▪ **Cuisson** : 1 h 10

- 1 kg de tomates vertes de fin d'été
- 1 kg de sucre
- 1 citron
- 1 branche de thym

Lavez les tomates et le citron. Coupez les tomates en petits morceaux et le citron en tranches fines.

Mélangez-les avec le sucre et le thym. Laissez macérer une nuit.

Faites cuire dans une cocotte à fond épais pendant 20 minutes sur feu vif, en remuant souvent. Poursuivez la cuisson sur feu doux pendant 50 minutes en remuant régulièrement.

Versez dans des pots ébouillantés et fermez-les aussitôt.

Le bon conseil

Vous pouvez utiliser cette confiture dans une tarte aux pommes en l'étalant sur le fond de la pâte avant de poser les fruits. Elle se conserve plusieurs mois à l'abri de la lumière.

Tapenade de peaux de tomates et olives vertes

Avec
la peau

Pour 1 bol
Préparation : 5 min

- La peau de 10 tomates
- 1 gousse d'ail
- 1 boîte d'olives vertes dénoyautées
- 1 bouquet de basilic
- 1 poignée de pignons
- 2 écorces de citron confit au sel (voir p. 116)
- 5 cl d'huile d'olive
- Sel et poivre

Épluchez la gousse d'ail.

Mixez la peau des tomates avec les olives, le basilic, les pignons, le citron confit, l'ail et l'huile. Salez et poivrez.

Servez sur des tartines grillées frottées à l'ail ou avec des pâtes.

L'ANANAS

AUTOMNE

Choisissez ce bon fruit d'hiver en tirant sur le plumet afin de vérifier sa maturité. Tout aussi délicieux en plat salé qu'en dessert !

Avec la chair
Gâteau à l'ananas créole
P.111

Avec la peau
Sirop d'ananas
P.112

Avec le cœur
Jus de cœur d'ananas
P.112

Gâteau à l'ananas créole

Avec la chair

Pour 6 personnes
Préparation : 25 min
Cuisson : 50 min

- 1 ananas
- 200 g de beurre mou
- 4 c. à s. de rhum ambré
- 160 g de sucre roux
- 2 œufs
- 160 g de farine
- 1 sachet de levure
- 1 citron vert
- 1 c. à. s de lait

Épluchez l'ananas et coupez-le en tranches fines. Réservez la peau et le cœur pour les recettes suivantes.

Faites fondre 60 g de beurre dans une casserole avec le rhum et 60 g de sucre pendant 5 minutes. Versez ce sirop dans un petit moule à bords hauts de 22 cm de diamètre environ. Disposez les tranches d'ananas en rosace dans le fond.

Préchauffez le four à 180 °C (th. 6).

Fouettez le reste de beurre et de sucre avec les œufs. Ajoutez la farine et la levure, puis fouettez à nouveau. Prélevez le zeste du citron, puis pressez-le. Ajoutez-le au mélange avec le lait.

Versez cette préparation sur les fruits, puis enfournez pour 45 minutes. À la sortie du four, retournez le moule sur une assiette et servez tiède.

Sirop d'ananas

Avec la peau

Pour 75 cl de sirop
Préparation : 10 min ▪ **Cuisson** : 20 min

- La peau de 1 bel ananas
- 150 g de sucre de canne roux
- 2 cm de gingembre
- 1 bâton de cannelle
- 1 étoile de badiane
- 1 gousse de vanille

Frottez l'ananas sous l'eau tiède avec une brosse avant de l'éplucher. Enlevez le plumet et jetez-le (ou, si vous avez gardé un peu de pulpe à la base, plantez-le en pot, il repoussera). Prélevez la peau en suivant les contours de l'ananas.

Fendez la gousse de vanille en deux dans la longueur. Disposez la peau dans une casserole avec les épices et le sucre. Couvrez de 1 l d'eau et portez à ébullition.

Laissez mijoter 20 minutes sur feu moyen, puis laissez refroidir avant de filtrer. Versez le sirop dans un bocal avec un couvercle hermétique, puis stockez-le au frais.

Servez ce sirop coupé d'eau fraîche ou gazeuse ou faites-le chauffer et utilisez-le pour imbiber un gâteau au yaourt un peu sec.

Le bon conseil

Ce sirop se conserve 1 semaine au frais.

Jus de cœur d'ananas

Avec le cœur

Pour 2 verres de jus
Préparation : 5 min

- Le cœur de 2 ananas
- 1 cm de gingembre
- Le zeste de 1 citron vert
- 2 c. à s. de sirop d'agave

Passez le cœur des ananas à la centrifugeuse avec le gingembre coupé en morceaux.

Râpez finement le zeste du citron vert. Ajoutez-le au jus avec le sirop d'agave.

Remuez et servez aussitôt avec une part de gâteau à l'ananas.

HIVER

LE CITRON

Très utilisé en cuisine, le citron jaune ou vert se décline à l'infini. Son jus, son zeste, sa peau, tout est utilisé dans ce petit agrume.

Avec la pea
et le jus
Citronnade aux peaux de citron
P.116

Avec la peau
Écorces de citrons confits
P.116
Peaux de citrons confites au sel
P.118

Avec le jus et le zeste
Tarte au citron meringuée
P.115
Marinade d'écorces de citrons verts
P.118

Tarte au citron meringuée

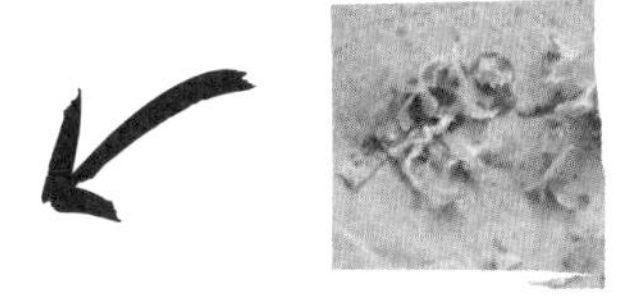

Avec le jus et le zeste

Pour 8 personnes
Préparation : 15 min
Cuisson : 35 min

- 1 pâte sablée
- 3 œufs + 2 blancs
- 160 g de sucre en poudre
- 50 g de sucre glace
- Le jus de 2 citrons + le zeste
- 80 g de beurre demi-sel fondu
- 40 g de Maïzena®

Fouettez les œufs avec le sucre jusqu'à ce que le mélange blanchisse. Ajoutez le jus des citrons et le zeste, le beurre fondu et la Maïzena®. Mélangez bien.

Préchauffez le four à 180 °C (th. 6). Foncez un moule à tarte avec la pâte, piquez le fond avec une fourchette et versez la préparation. Enfournez pour 30 minutes.

Battez les blancs d'œufs en neige, ajoutez le sucre glace sans cesser de fouetter et étalez cette meringue sur la tarte. Passez sous le gril pendant quelques minutes, puis laissez refroidir sur une grille.

La bonne idée

Vous pouvez utiliser, au choix, des citrons verts ou des citrons jaunes pour cette recette, ou un mélange des deux.

voir photo P.117 →

Citronnade aux peaux de citron

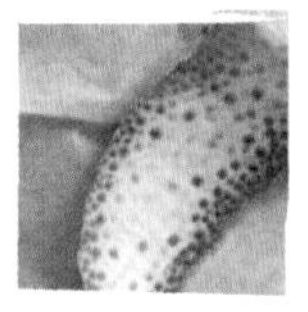
Avec
la peau
et le jus

Pour 1 l de citronnade
Préparation : 10 min ▪ **Macération** : 24 h

- La peau de 6 citrons jaunes non traités + le jus de 2 d'entre eux
- 500 g de sucre de canne bio
- 6 feuilles de menthe

Lavez bien les citrons sous l'eau chaude. Réservez le jus pour réaliser la tarte au citron de la recette précédente. Prélevez la peau et coupez-la en lamelles. Disposez les lamelles dans un bocal.

Ajoutez le sucre, les feuilles de menthe ciselées et le jus. Couvrez d'eau, fermez le bocal et secouez-le avant de le placer au frais pour 24 heures.

Filtrez ensuite ce jus avant de le servir bien frais en y additionnant un peu d'eau si nécessaire.

La bonne idée
Cette citronnade peut s'utiliser chaude, en grog, avec un peu de rhum et de miel. Elle se conserve 1 à 2 jours au frais.

Écorces de citrons confits

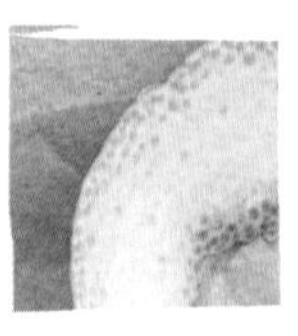

Pour 1 petite boîte
Préparation : 30 min ▪ **Cuisson** : 35 min ▪ **Repos** : 3 x 12 h

- 5 citrons non traités
- Le même poids de sucre en poudre

Lavez les citrons et prélevez leur peau avec un économe. Coupez-les en lanières, puis faites-les blanchir 5 minutes dans une casserole d'eau bouillante. Jetez l'eau et renouvelez deux fois cette opération pour atténuer l'amertume de la peau.

Pesez le zeste et placez-le dans une casserole avec le même poids de sucre et le même poids d'eau. Portez à ébullition, puis laissez frémir 5 minutes. Laissez reposer 12 heures à couvert, puis renouvelez l'opération trois fois jusqu'à ce que tout le sirop soit évaporé et que les écorces soient translucides.

Faites-les sécher ensuite sur une grille avant de les ranger dans une boîte hermétique. Elles se conservent plusieurs mois à l'abri de la lumière.

Peaux de citrons confites au sel

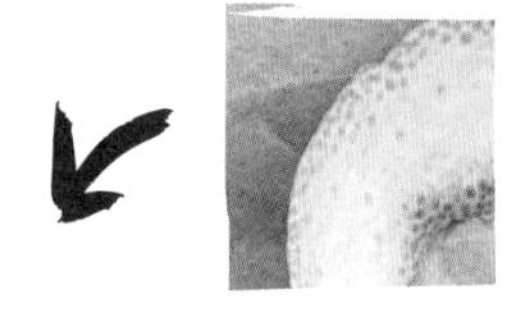

Avec la peau

Pour 1 bocal de 50 cl
Préparation : 10 min **Macération** : 3 jours **Repos** : 1 mois

- Les peaux de 6 citrons jaunes
- 350 g de sel fin
- 1 c. à s. de graines de fenouil

Récupérez la peau des citrons pressés et placez-la dans un bocal en versant le sel au fur et à mesure.

Ajoutez les graines de fenouil et fermez le bocal hermétiquement. Secouez-le bien et laissez-le macérer 3 jours à l'abri de la lumière, en le secouant plusieurs fois par jour.

Couvrez ensuite cette préparation d'eau bouillante, refermez le couvercle et entreposez le bocal à l'abri de la lumière pendant 1 mois avant d'en utiliser quelques morceaux pour cuisiner.

Le bon conseil

Le bocal se conserve plusieurs mois au frais après ouverture en veillant à ce que les morceaux de citrons soient toujours recouverts d'eau (ajoutez-en si nécessaire).

Marinade d'écorces de citrons verts

Avec le jus et le zeste

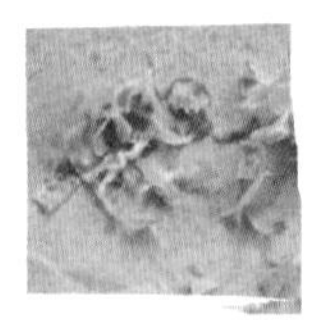

Pour 2 marinades de poisson
Préparation : 10 min

- 8 citrons verts
- 3 branches de thym
- 1 branche de romarin
- 3 gousses d'ail
- 1 petit piment rouge
- 1 c. à s. de graines de cumin
- 40 cl d'huile d'olive
- 1 c. à s. de gros sel
- Poivre

Lavez les citrons sous l'eau chaude. Prélevez le zeste avec une râpe, puis pressez le citron. Hachez grossièrement les feuilles de thym et de romarin. Épluchez et écrasez l'ail.

Versez l'équivalent du jus de 2 citrons dans un bocal, ajoutez le zeste, le thym et le romarin, l'ail, puis le reste des ingrédients.

Versez immédiatement la moitié de cette préparation sur un poisson pour le faire mariner (au moins 1 heure avant de le cuire au four) ou gardez cette marinade plusieurs jours au frais, elle n'en sera que meilleure.

LA CLÉMENTINE

La clémentine annonce la saison froide et nous ravit par son odeur et ses vertus vitaminées.

Avec la pulpe
Clémentines poêlées
P.121

Avec la peau
Peaux de clémentines au sirop
P.122

Avec le zeste
Poudre de zeste de clémentines séché
P.122

Clémentines poêlées

Avec
la pulpe

Pour 6 personnes
Préparation : 10 min
Cuisson : 10 min

- 12 clémentines non traitées
- 150 g de beurre demi-sel
- 200 g de sucre en poudre
- 2 cm de gingembre
- 1 c. à c. de quatre-épices

Lavez les clémentines et épluchez-les. Réservez la peau pour les recettes suivantes. Enlevez les petites peaux blanches, puis coupez les clémentines en deux.

Mettez le beurre à fondre dans une grande poêle, ajoutez les clémentines, le sucre, le gingembre râpé et le quatre-épices.

Faites cuire 10 minutes sur feu doux en remuant délicatement et régulièrement.

La bonne idée

Servez avec des biscuits maison au gingembre ou avec du pain d'épice.

Peaux de clémentines au sirop

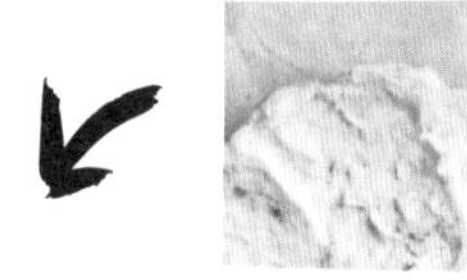

Avec la peau

Pour 2 pots de confiture
Préparation : 10 min ▪ **Cuisson** : 30 min

- La peau de 12 clémentines (160 g environ)
- 20 cl de jus de clémentine
- 400 g de sucre en morceaux
- 100 g d'amandes effilées
- 1 gousse de vanille

Faites blanchir la peau des clémentines 5 minutes dans l'eau bouillante. Égouttez-les et coupez-les en morceaux.

Mettez les morceaux de sucre dans une cocotte avec le jus de clémentine et la gousse de vanille fendue. Portez à ébullition, puis ajoutez les peaux et les amandes.

Faites cuire à feu doux pendant 30 minutes en remuant régulièrement. Versez ensuite dans des pots stérilisés.

La bonne idée

Cette préparation se conserve plusieurs mois à l'abri de la lumière et s'utilise pour parfumer des cakes au chocolat ou pour décorer des cupcakes, par exemple.

Poudre de zeste de clémentines séché

Avec le zeste

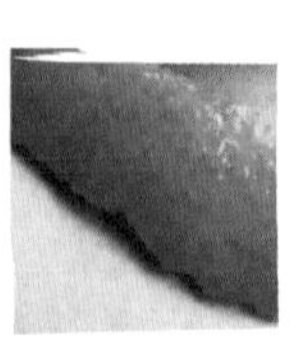

Pour 1 petit sachet
Préparation : 5 min ▪ **Séchage** : 2 jours

- La peau de 6 clémentines
- 2 c. à s. de graines de sésame blond
- 2 c. à s. de sucre en poudre
- 1 sachet de sucre vanillé

Ébouillantez la peau des clémentines 5 minutes dans l'eau bouillante puis faites-la sécher au-dessus d'un radiateur pendant 2 jours environ.

Réduisez-la en poudre dans un moulin à café avec les graines de sésame. Ajoutez le sucre en poudre et le sucre vanillé, et mélangez bien.

Versez dans des sachets en cellophane ou des petits pots avec couvercles.

La bonne idée

Cette poudre se conserve 6 mois à l'abri de la lumière. Utilisez cette préparation pour saupoudrer desserts lactés ou salades de fruits.

LE COING

Ce fruit d'automne, assez peu utilisé en cuisine, est aussi bon dans les préparations salées que sucrées. Ses pépins pleins de pectine sont parfaits pour faire des gelées, et sa chair au goût subtil et acidulé se marie parfaitement avec les plats salés.

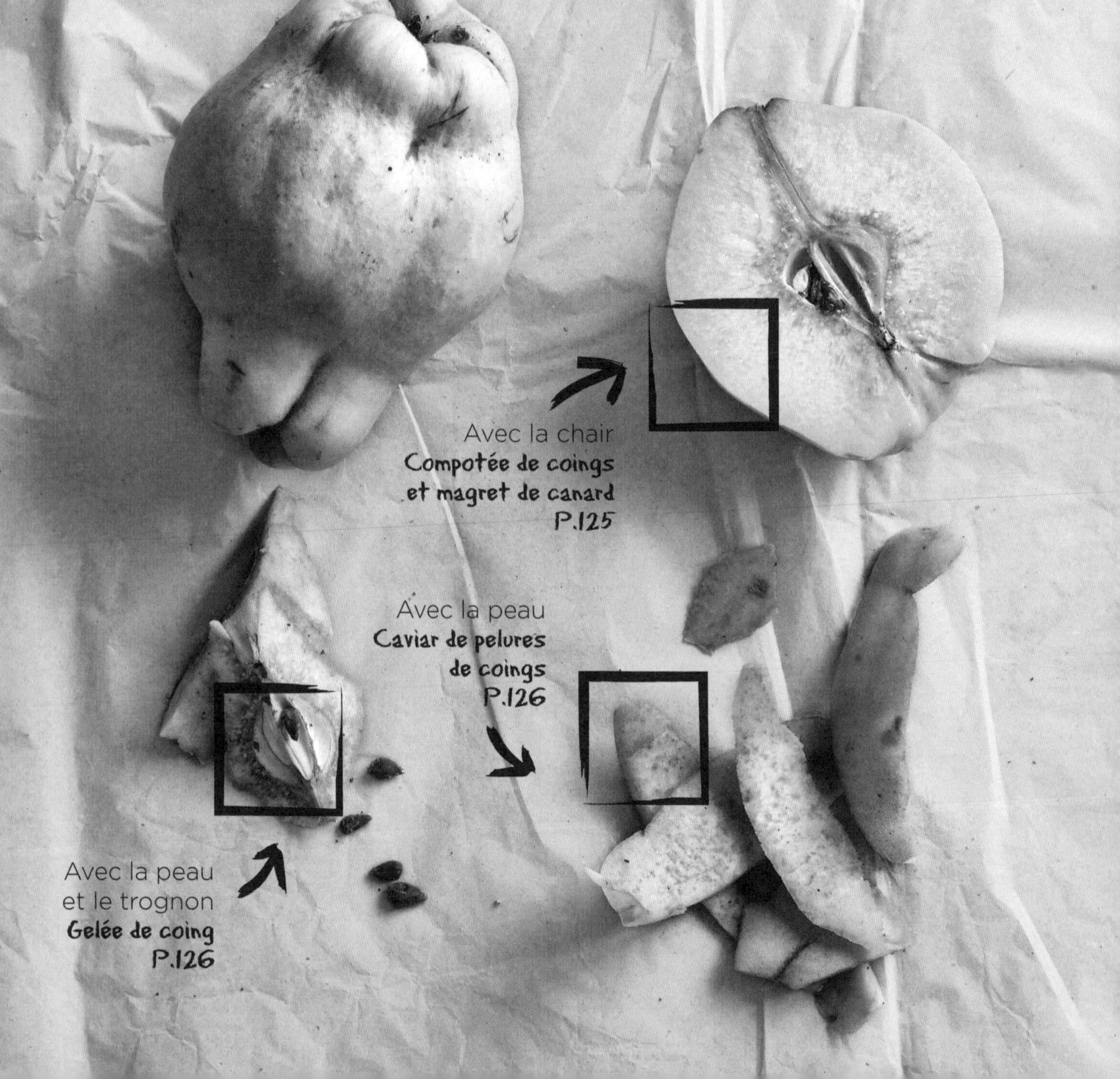

Avec la chair
Compotée de coings et magret de canard
P.125

Avec la peau
Caviar de pelures de coings
P.126

Avec la peau et le trognon
Gelée de coing
P.126

Compotée de coings et magret de canard

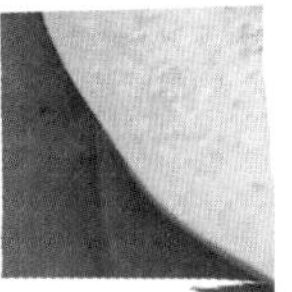

Avec la chair

Pour 4 personnes
Préparation : 20 min
Cuisson : 40 min

- 8 coings
- 2 magrets de canard
- 50 g de beurre
- 1 étoile de badiane
- 1 clou de girofle
- 1 c. à s. de crème de vinaigre balsamique
- Sel et poivre

Épluchez les coings, coupez-les en quatre et retirez les trognons. Réservez la peau et les trognons pour les recettes suivantes. Coupez la chair en morceaux, puis faites-la cuire 20 minutes dans de l'eau bouillante salée avec la badiane et le clou de girofle.

Dégraissez de moitié le gras des magrets. Coupez ce bon gras en petits morceaux. Faites-les rissoler dans une poêle, sur feu vif, pendant 5 minutes, puis réservez.

Égouttez les coings puis mixez-les avec le beurre. Salez et poivrez.

Faites cuire les magrets côté gras pendant 10 minutes, puis 5 minutes de l'autre côté. Salez, poivrez, ajoutez la crème de vinaigre balsamique et retirez du feu.

Coupez les magrets en tranches, et servez avec la compotée de coings et les rillons croustillants.

Caviar de pelures de coings

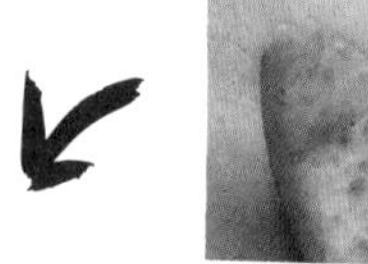

Avec la peau

Pour 1 pot
Préparation : 10 min ▪ **Cuisson** : 20 min

- La peau de 8 coings
- 1 oignon
- 10 cl d'huile d'olive
- 1 c. à c. de quatre-épices
- 1 c. à s. de graines de courge
- Sel et poivre

Épluchez l'oignon et coupez-le en morceaux.

Faites cuire la peau des coings dans une casserole avec 20 cl d'eau, du sel, du poivre et l'oignon pendant 20 minutes.

Égouttez le tout, puis mixez finement avec le quatre-épices, les graines de courge et l'huile.

Goûtez, puis rectifiez l'assaisonnement si besoin. Remplissez un pot, puis fermez le couvercle.

La bonne idée

Ce caviar se déguste simplement sur du pain grillé ou avec un rôti de porc, par exemple. Vous pouvez le conserver 1 semaine au frais.

Gelée de coing

Avec la peau et le trognon

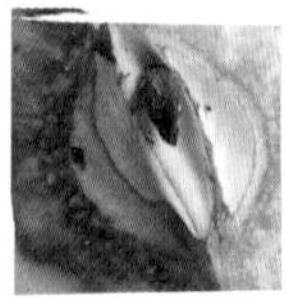

Pour 2 pots de confiture
Préparation : 10 min ▪ **Cuisson** : 45 min

- 500 g de pelures et trognons de coings
- 500 g de sucre cristal
- Le jus de 1 citron

Mettez les pelures et les trognons dans une cocotte avec le jus de citron et les pépins. Couvrez d'eau et portez à ébullition, puis laissez cuire 30 minutes à couvert.

Filtrez le jus et pesez-le. Ajoutez le même poids de sucre, puis comptez 15 minutes de cuisson à partir de l'ébullition.

Versez dans des pots stérilisés.

La bonne idée

Cette gelée est idéale pour sucrer des laitages ou des tisanes et pour napper des tartes aux fruits. Elle se conserve 1 an à l'abri de la lumière.

LA FRAMBOISE

Petit fruit délicat d'été, la framboise fleure bon l'enfance et nous rappelle les parties de cache-cache chez Papi et Mamie.

Gelée de framboise

Avec la chair

Pour 3 pots de confiture
Préparation : 15 min
Cuisson : 15 min

- 1 kg de framboises
- 1 kg de sucre en morceaux
- Le jus de 1/2 citron
- 3 clous de girofle

Faites fondre le sucre avec 25 cl d'eau et le jus de citron dans une cocotte. Portez à ébullition sans remuer, puis ajoutez les clous de girofle et les framboises.

Mettez à cuire pendant 15 minutes sur feu vif en écrasant les fruits avec une grosse cuillère en bois et en enlevant l'écume au fur et à mesure avec une écumoire.

Filtrez la confiture dans un tamis à grille fine et écrasez bien les fruits pour récupérer la pulpe.

Versez la gelée obtenue dans des pots de confiture stérilisés, fermez les pots et retournez-les le temps qu'ils refroidissent. Remettez-les à l'endroit avant de les ranger à l'abri de la lumière.

La bonne idée

Conservez l'écume et les graines des fruits pour les recettes suivantes.

Sirop de framboise

Avec les graines

Pour 75 cl de sirop
Préparation : 10 min ▪ **Cuisson** : 15 min

- 300 g de graines de framboises
- 300 g de sucre en poudre
- 1 gousse de vanille

Disposez les graines de fruits, le sucre et la gousse de vanille fendue en deux dans une casserole avec 1 l d'eau. Faites cuire 15 minutes sur feu vif.

Filtrez ce mélange au-dessus d'une bouteille en verre stérilisée, fermez le couvercle et laissez refroidir.

Servez additionné d'eau fraîche.

La bonne idée

Récupérez la gousse de vanille utilisée et placez-la dans un bocal avec 500 g de sucre roux. Vous obtiendrez ainsi un sucre à la saveur vanillée.

Tartelettes à l'écume de framboises

Avec l'écume et la chair

Pour 4 tartelettes
Préparation : 5 min ▪ **Cuisson** : 30 min

- 200 g d'écume de confiture de framboises
- 200 g de framboises
- 250 g de farine
- 100 g de beurre demi-sel
- 40 g de sucre en poudre + 2 c. à s.
- 1 jaune d'œuf
- Le zeste de 1 citron
- 6 c. à s. de lait
- Sucre glace

Préparez la pâte en mélangeant la farine avec le beurre ramolli à température ambiante, le zeste de citron, le sucre et le jaune d'œuf. Mélangez du bout des doigts et ajoutez le lait. Formez une boule, étalez-la sur un plan de travail saupoudré de sucre.

Préchauffez le four à 180 °C (th. 6). Foncez des moules à tartelette, piquez la pâte avec une fourchette et versez l'écume. Enfournez pour 30 minutes.

Disposez les framboises sur les tartelettes encore chaudes, saupoudrez de sucre glace et servez aussitôt.

HIVER

LE KIWI

Petit fruit d'hiver bourré de vitamines, le kiwi nous sauve de notre léthargie en chatouillant nos papilles de ses notes acidulées.

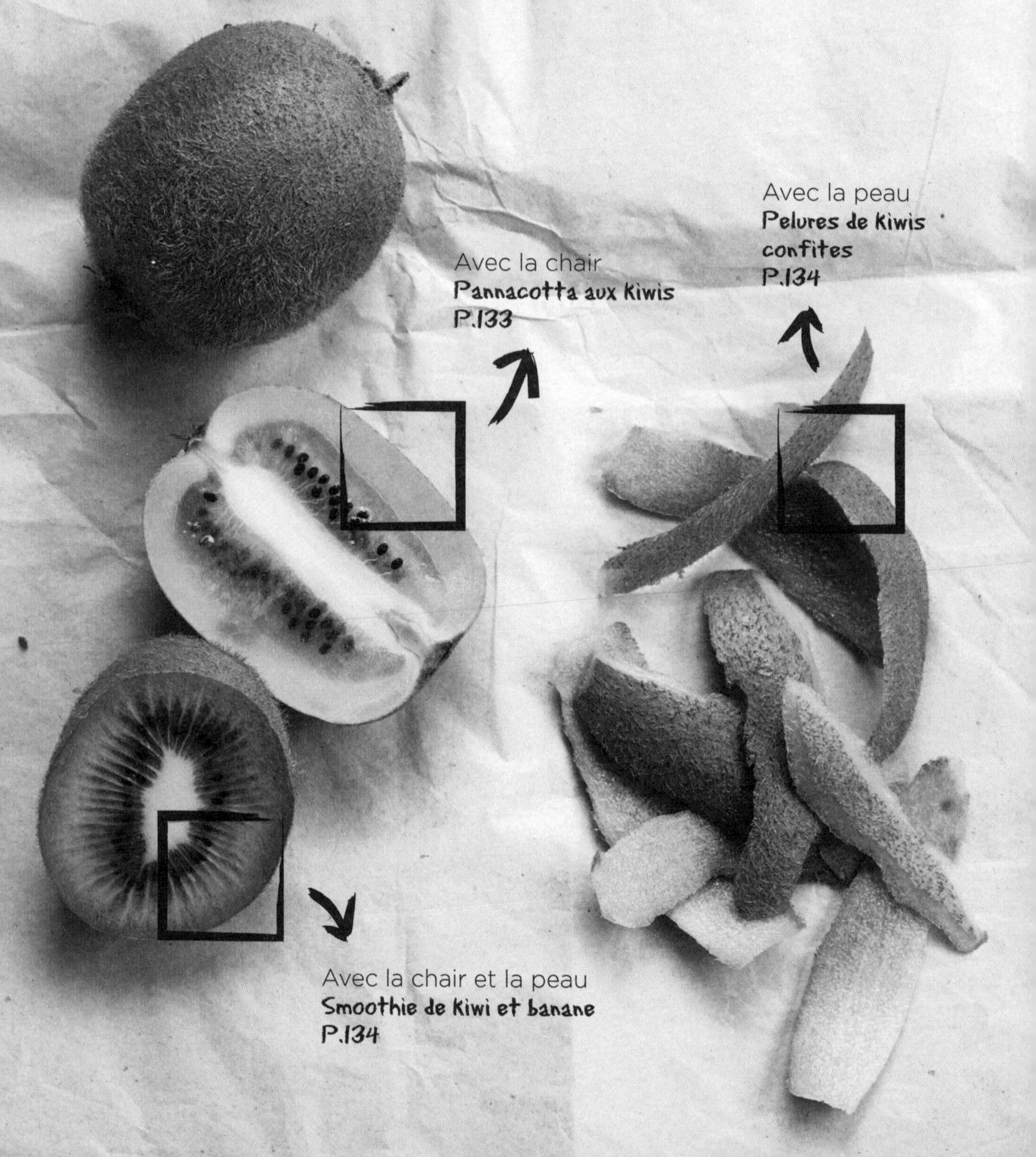

Pannacotta aux kiwis

Avec la chair

Pour 4 verres
Préparation : 15 min
Cuisson : 20 min
Repos : 30 min
Réfrigération : 2 h

- 5 kiwis
- 60 g de crème fleurette
- 100 g de sucre
- Le zeste de 1 citron
- 3 feuilles de gélatine

Laissez ramollir les feuilles de gélatine dans un bol d'eau froide.

Épluchez les kiwis et réservez la peau pour les recettes suivantes. Coupez-en trois en tranches fines et les autres en morceaux. Mixez les morceaux de kiwis avec le zeste de citron.

Faites chauffer doucement la crème avec le sucre et la purée de kiwis. Portez à ébullition en mélangeant, puis retirez du feu. Ajoutez la gélatine ramollie et égouttée dans la crème chaude en remuant. Laissez refroidir 30 minutes.

Versez ce mélange dans des verres. Placez-les au réfrigérateur pendant 2 heures.

Décorez avec les tranches de kiwis et servez frais.

Smoothie de kiwi et banane

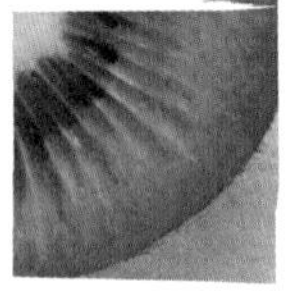

Avec
la chair
et la peau

Pour 2 verres
Préparation : 15 min ▪ **Cuisson** : 5 min

- 1 kiwi + la peau de 6 autres
- 1 banane
- 1 yaourt à la grecque
- 20 g de noisettes décortiquées
- 50 g de sucre de canne roux + 2 c. à s.

Concassez les noisettes et faites-les caraméliser quelques minutes dans une poêle avec les 2 cuillerées de sucre.

Disposez-les sur une feuille de papier cuisson et laissez-les refroidir.

Passez à la centrifugeuse le kiwi coupé en deux et la peau des autres. Avec ce jus, mixez la banane et le yaourt. Ajoutez le sucre et mélangez.

Servez dans des verres avec les éclats de noisettes caramélisés.

Pelures de kiwis confites

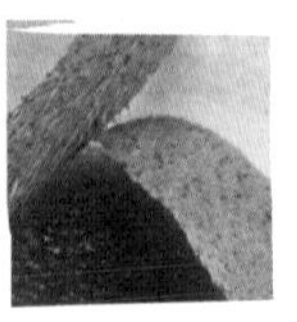

Avec
la peau

Pour 1 sachet
Préparation : 10 min ▪ **Cuisson** : 15 min + 4 h

- La peau de 6 kiwis
- 120 g de sucre
- Le jus de 1 citron vert
- 1 c. à c. de curcuma en poudre

Recoupez la peau des kiwis en lanières.

Faites fondre le sucre avec 1 verre d'eau, sur feu vif, pendant 5 minutes.

Jetez les lanières de peau dans ce sirop, ajoutez le curcuma et le jus de citron, puis laissez-les cuire sur feu doux pendant 10 minutes.

Égouttez-les sur une grille puis faites-les dessécher au four pendant 4 heures à 70 °C (th. 2-3) .

La bonne idée

Une fois bien secs, vous pouvez conserver ces pelures dans un sachet ou un petit pot pendant plusieurs mois et les déguster à l'heure du thé ou dans un fromage blanc.

HIVER

L'ORANGE

Les oranges, comme les autres agrumes,
nous offrent leurs vitamines pendant tout l'hiver.
Il serait dommage d'en jeter la peau,
qui fait des merveilles quand elle est bien préparée.

Avec le zeste
Sel d'orange
P.138
Vin chaud au zeste d'orange
P.140

Avec la chair
Salade d'oranges aux dattes
P.137

Avec la pulpe
et la peau
Petits cakes à l'orange
P.138

Avec la peau
Pâte d'orange confite
P.140

Salade d'oranges aux dattes

Avec
la chair

Pour 4 personnes
Préparation : 30 min
Cuisson : 1 min

- 8 oranges bio
- 16 dattes
- 1 c. à c. de cannelle
- 2 c. à s. de miel d'oranger
- 2 c. à s. d'eau de fleur d'oranger

Lavez les oranges puis pelez-les à vif. Réservez la peau pour les recettes suivantes. Prélevez la chair des quartiers en laissant les membranes de côté. Pressez-les entre vos doigts pour récupérer le jus.

Dénoyautez les dattes puis coupez-les en deux.

Mélangez la pulpe, le jus, la cannelle, les dattes et l'eau de fleur d'oranger. Faites chauffer le miel 1 minute au four à micro-ondes et versez-le sur les fruits.

Gardez la salade d'oranges au frais jusqu'au moment de servir ; dégustez-la avec des biscuits aux graines d'anis.

La bonne idée

Ajoutez des amandes effilées ou des pignons grillés juste avant de servir.

voir photo P.139

Petits cakes à l'orange

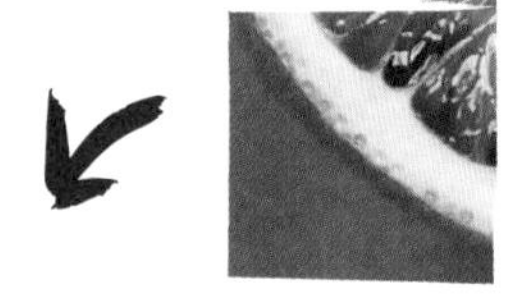

Avec la pulpe et la peau

Pour 12 petits cakes
Préparation : 10 min ▪ **Cuisson** : 25 min

- La pulpe et la peau de 2 oranges
- 2 œufs
- 2 yaourts
- 150 g de sucre
- 220 g de farine
- 100 g de beurre + un peu pour la plaque
- 1/2 sachet de levure

Faites cuire la peau des oranges 45 minutes dans de l'eau bouillante.

Mélangez la farine et la levure, ajoutez les œufs, les yaourts et le beurre mou.

Mixez la pulpe et la peau des oranges égouttée avec le sucre ; ajoutez-les à la préparation et mélangez bien.

Préchauffez le four à 180 °C (th. 6). Beurrez les alvéoles d'une plaque à muffins, puis versez la préparation aux trois quarts du moule. Enfournez pour 25 minutes.

Démoulez les cakes et laissez-les refroidir quelques instants sur une grille. Servez-les tièdes avec une crème fouettée, à l'orange par exemple.

Sel d'orange

Avec le zeste

Pour 1 petit pot
Préparation : 10 min ▪ **Cuisson** : 20 min

- La peau de 2 oranges
- 150 g de gros sel
- 1 c. à s. de graines de fenouil

Prélevez le zeste des oranges sans la peau blanche. Coupez-le en fines lanières et disposez-le dans un plat à gratin.

Préchauffez le four à 100 °C (th. 3-4). Recouvrez les lanières d'oranges avec le gros sel, puis enfournez pour 20 minutes.

Mixez finement les lanières de peau avec le sel et le fenouil. Laissez refroidir et versez dans un pot hermétique.

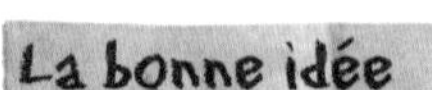

Ce sel d'orange est idéal pour assaisonner des viandes grillées ou pour faire des sauces de salades.

Vin chaud au zeste d'orange

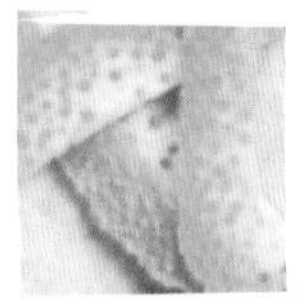
Avec le zeste

Pour 4 verres
Préparation : 10 min ▪ **Séchage** : 2 jours ▪ **Cuisson** : 20 min

- Le zeste de 1 orange bio
- 1 bouteille de bon vin rouge
- 125 g de sucre
- 1 étoile de badiane
- 1 bâton de cannelle
- 2 gousses de cardamome
- 6 grains de poivre noir
- 2 clous de girofle

Laissez sécher le zeste d'orange sur un radiateur pendant 1 à 2 jours.

Faites chauffer le vin avec les épices et le sucre, ajoutez lle zeste d'orange et faites frémir, sans laisser bouillir, pendant 20 minutes.

Filtrez et servez bien chaud.

Pâte d'orange confite

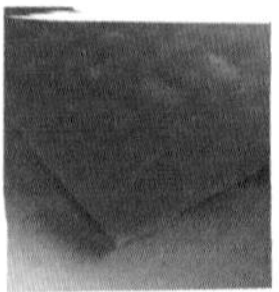
Avec la peau

Pour 1 pot
Préparation : 20 min ▪ **Cuisson** : 30 min

- La peau de 2 oranges
- Le même poids de sucre
- 1 bâton de cannelle
- 1 clou de girofle

Faites blanchir la peau des oranges dans l'eau bouillante pendant 5 minutes. Renouvelez l'opération trois fois en jetant l'eau à chaque fois. Égouttez-la, puis pesez-la.

Coupez-la en morceaux, puis mixez-la avec le même poids de sucre.

Mettez à cuire cette pâte avec les épices pendant 15 minutes sur feu doux en remuant constamment.

Versez cette marmelade dans un pot stérilisé et conservez-la à l'abri de la lumière.

La bonne idée

Utilisez cette pâte d'orange comme une confiture ou mélangez-la à une pâte à madeleine ou à un gâteau au yaourt.

LA PASTÈQUE

La pastèque, fruit lourd et gorgé de jus, est idéale en été. Peu sucrée, elle est très désaltérante lorsqu'elle est servie bien fraîche. La peau permet de faire un bon chutney qui accompagnera de manière originale vos plats de l'hiver suivant.

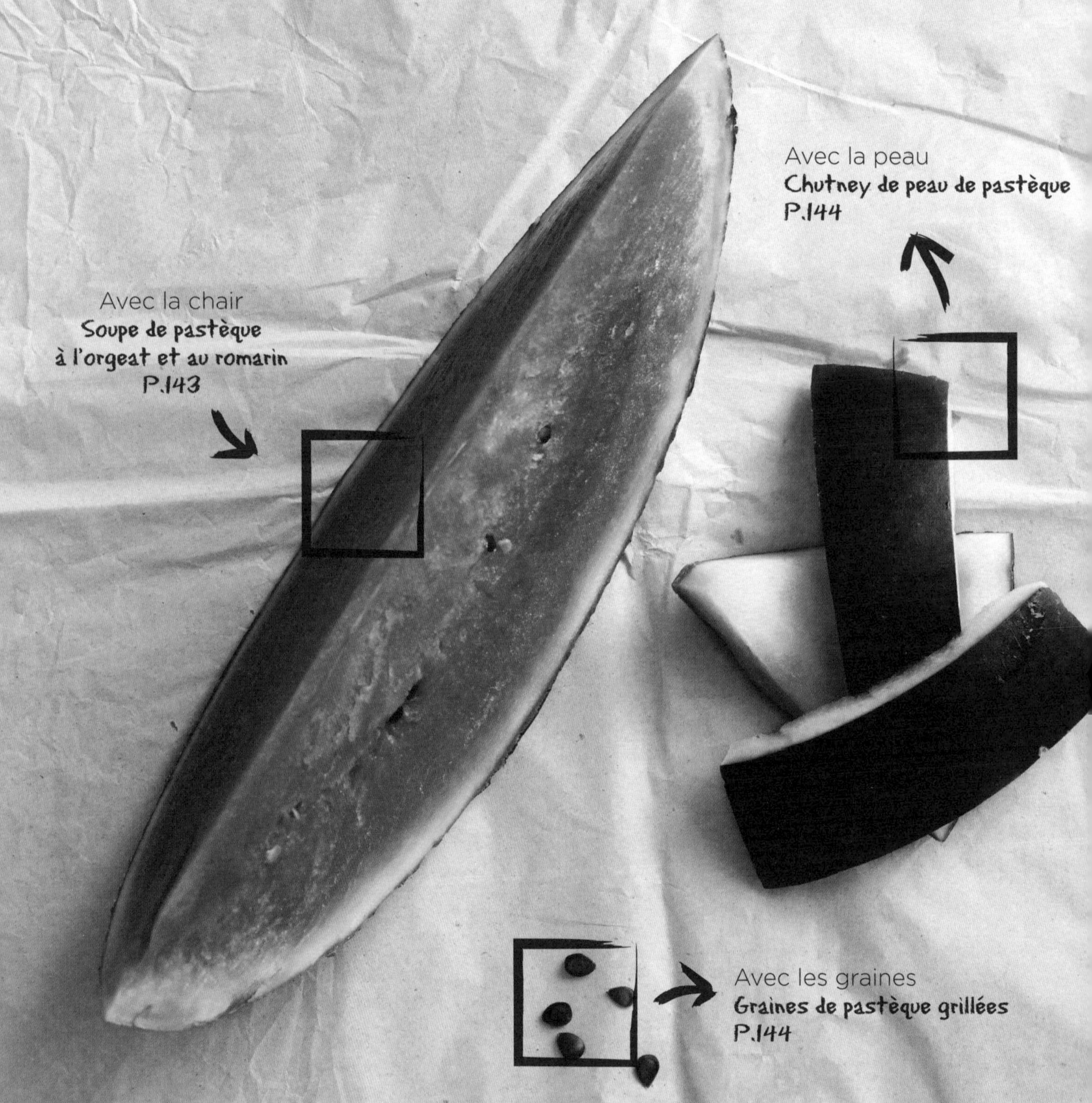

Soupe de pastèque à l'orgeat et au romarin

Avec la chair

Pour 6 personnes
Préparation : 15 min
Réfrigération : 1 h

- 1/2 pastèque
- 4 c. à s. de sirop d'orgeat
- 1 branchette de romarin

Coupez la pastèque en tranches. Prélevez la chair et coupez-la en morceaux. Réservez les pépins et la peau pour les recettes suivantes.

Mixez-la avec le sirop d'orgeat et 10 cl d'eau.

Hachez très finement le romarin et ajoutez-le à la soupe.

Recouvrez le saladier de film alimentaire et placez 1 heure au réfrigérateur avant de servir.

La bonne idée

Servez cette soupe en dessert avec des tuiles aux raisins.

Chutney de peau de pastèque

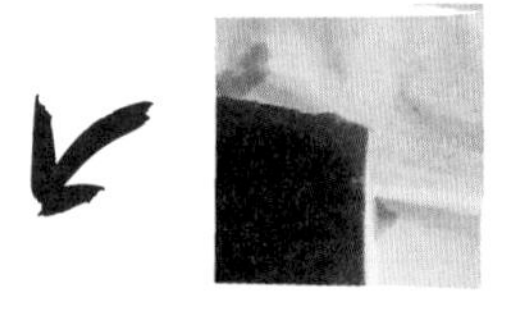

Avec la peau

Pour 1 gros pot
Préparation : 20 min ▪ **Cuisson** : 1 h 40

- La peau de 1 pastèque
- 200 g de sucre
- 2 oignons
- 1 petit piment rouge
- 2 cm de gingembre
- 2 c. à s. d'huile d'olive
- 1 c. à c. de graines de cumin
- 2 c. à s. de vinaigre de cidre
- Sel et poivre

Lavez la peau de la pastèque puis coupez-la en petits cubes. Pelez les oignons et coupez-les en morceaux. Épépinez le piment puis ciselez-le finement. Râpez le gingembre avec la peau.

Dans une cocotte, chauffez l'huile et faites-y revenir le piment, le gingembre et le cumin. Ajoutez les oignons, le sucre, la peau de la pastèque, le vinaigre, du sel, du poivre et un peu d'eau. Mélangez, puis laissez cuire sur feu doux 1 h 30, à couvert.

Remplissez un gros pot de confiture stérilisé ou 2 pots moyens. Stockez-les à l'abri de la lumière après avoir fermé les couvercles.

Le bon conseil

Ce chutney accompagne agréablement le poulet grillé ou d'autres viandes blanches. Il se conserve 6 mois dans un placard et 3 semaines au frais après ouverture.

Graines de pastèque grillées

Avec les graines

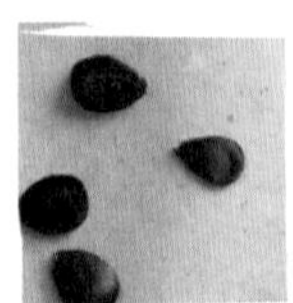

Pour 1 coupelle
Préparation : 5 min ▪ **Cuisson** : 10 min

- Les graines noires de 1 pastèque
- 1 c. à c. de sel
- 1 pincée de poivre

Préchauffez le four à 180 °C (th. 6). Récupérez les graines d'une pastèque et rincez-les bien. Égouttez-les et étalez-les sur une plaque allant au four.

Saupoudrez-les de sel et de poivre puis faites-les griller 10 minutes en les remuant une ou deux fois.

Laissez-les refroidir et grignotez-les à l'apéritif.

Le bon conseil

Cette recette est aussi valable pour les graines de melon.

LA PÊCHE

Les pêches, blanches ou jaunes, se consomment entières, mais leur peau pelucheuse peut être irritante. Pour ne rien perdre de ce beau fruit d'été, voici quelques idées.

Avec la chair
Pêches pochées au mascarpone

P.147

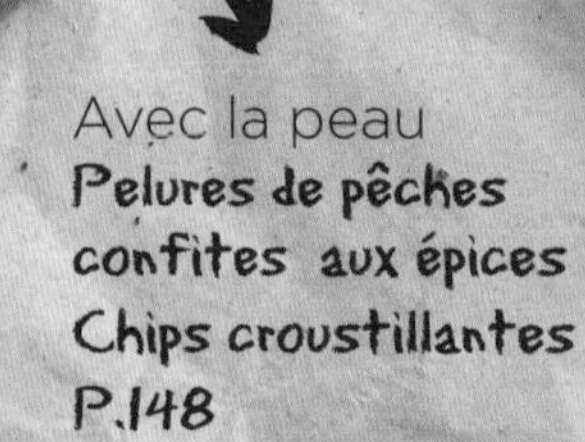

Avec la peau
Pelures de pêches confites aux épices
Chips croustillantes

P.148

Pêches pochées
au mascarpone

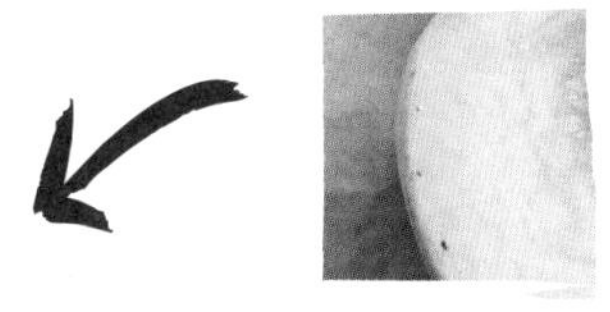

Avec
la chair

Pour 4 personnes
Préparation : 15 min
Cuisson : 8 min

- 4 pêches pas trop mûres
- 200 g de mascarpone
- 100 g de sucre
- 1 gousse de vanille
- 1 bâton de cannelle
- 1 sachet de sucre vanillé
- 1 c. à c. de cannelle

Lavez les pêches délicatement, puis épluchez-les. Coupez-les en deux et retirez le noyau. Réservez la peau pour les recettes suivantes.

Mettez à chauffer 40 cl d'eau avec le sucre, la gousse de vanille et le bâton de cannelle. Portez à ébullition, puis plongez les pêches 3 minutes dans le sirop.

Égouttez-les puis disposez-les sur un grand plat.

Faites réduire le sirop de moitié en poursuivant la cuisson encore 5 minutes. Mélangez le mascarpone avec 2 cuillerées à soupe de ce sirop, le sucre vanillé et la cannelle.

Déposez 1 cuillerée de crème dans chaque oreillon de pêche et servez tiède ou froid.

Le bon conseil

Vous pouvez saupoudrer les pêches de pelures de pêches séchées (voir recette p. 148).

Pelures de pêches confites aux épices

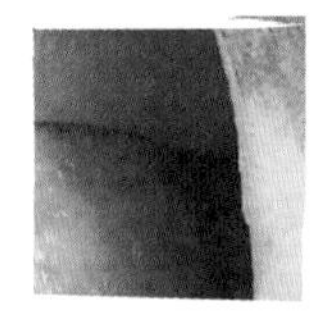

Avec
la peau

Pour 1 petit pot
Préparation : 15 min ▪ **Cuisson** : 5 min + 3 h

- La peau de 1 kg de pêches
- 150 g de sucre
- 1 c. à s. d'eau de fleur d'oranger
- 1 citron
- 1 c. à c. de gingembre en poudre
- 1 bâton de cannelle
- 2 pincées de sel
- 2 pincées de poivre

Prélevez la peau des pêches avec un couteau en gardant un peu de chair. Faites bouillir 20 cl d'eau avec la moitié du sucre et l'eau de fleur d'oranger.

Délestez le citron de son zeste puis pressez-le. Ajoutez le tout au sirop, ainsi que les peaux de pêches. Laissez cuire à petite ébullition pendant 5 minutes, puis égouttez.

Préchauffez le four à 100 °C (th. 3-4). Disposez les peaux de pêches sur une plaque recouverte de papier cuisson et saupoudrez-les du reste de sucre, du gingembre, de la cannelle, du sel et du poivre. Enfournez la plaque et laissez confire pendant 3 heures en ouvrant la porte du four plusieurs fois pour laisser échapper la vapeur.

Laissez ensuite refroidir avant de les mettre dans un pot stérilisé.

La bonne idée

Vous pouvez utiliser le sirop de cuisson pour sucrer des laitages ou pour napper une tarte aux fruits.

Chips croustillantes

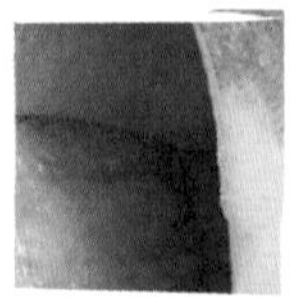

Avec
la peau

Pour 1 petit sachet de chips
Préparation : 5 min ▪ **Cuisson** : 3 h

- La peau fine de 6 pêches mûres
- 1 c. à c. de cannelle
- 2 c. à s. de sucre roux

Préchauffez le four à 100 °C (th. 3-4).

Étalez la peau des pêches sur une plaque allant au four. Saupoudrez-les de cannelle et de sucre.

Enfournez-les pour 3 heures de cuisson.

CHIPS
de
PECHE

AUTOMNE

LA POIRE

Fruit d'automne, la poire se mange souvent épluchée, car sa peau est parfois granuleuse. Voici quelques recettes pour tirer parti de ce fruit, peau et trognon inclus !

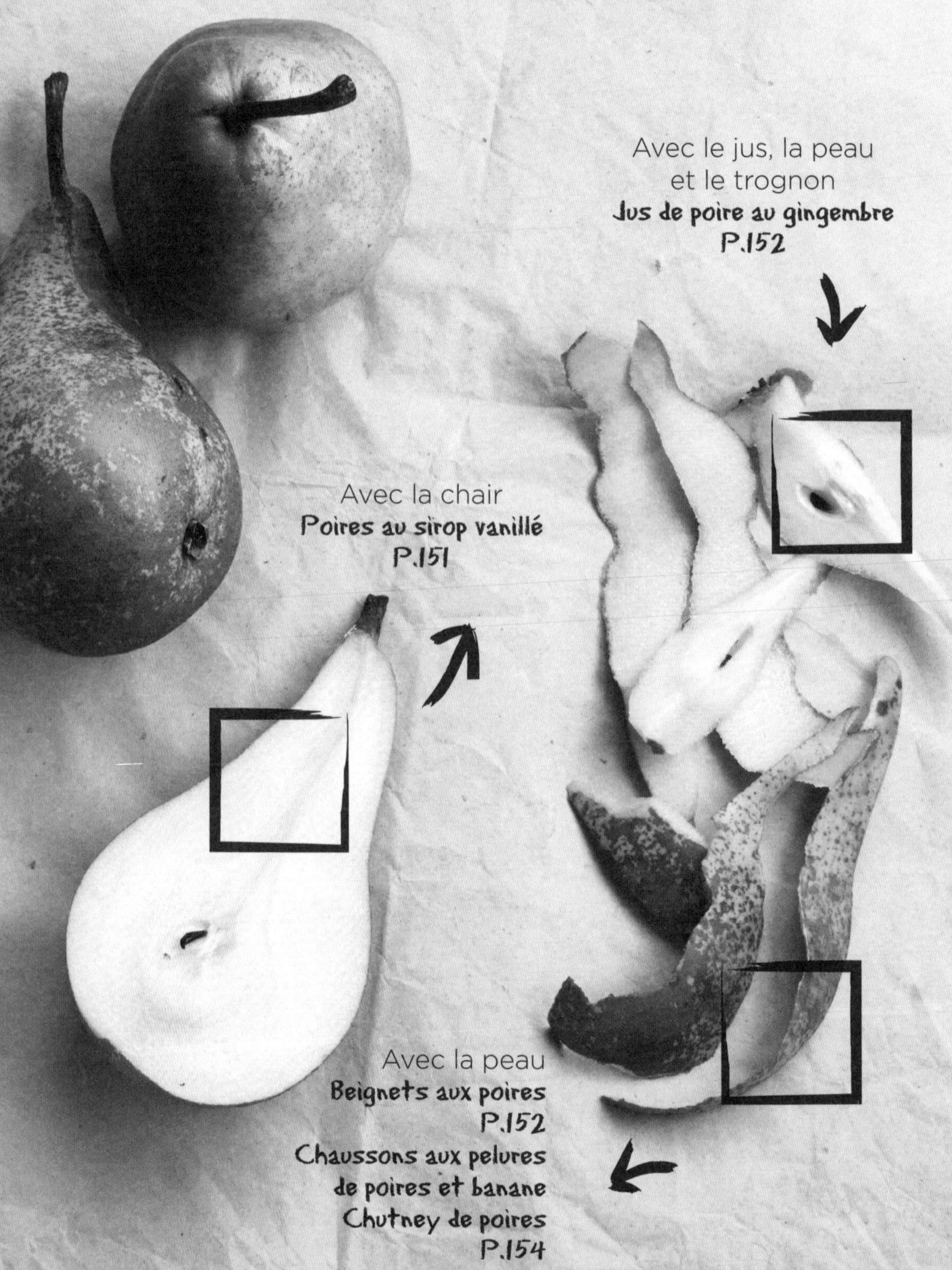

Poires au sirop vanillé

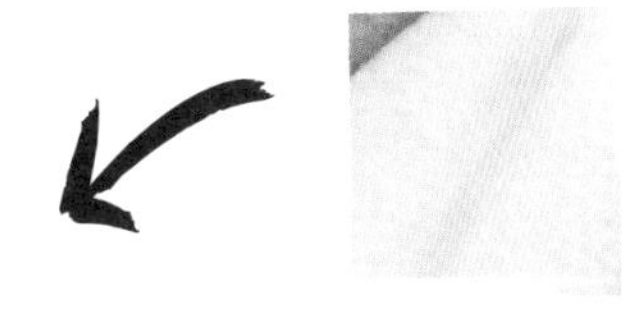

Avec
la chair

Pour 4 personnes
Préparation : 10 min
Cuisson : 35 min

- 8 poires conférence
- 150 g de sucre
- Le jus de 1 citron
- 1 sachet de sucre vanillé
- 2 gousses de vanille
- 3 grains de poivre noir
- 2 branches de citronnelle

Épluchez les poires, coupez-les en quatre et enlevez le trognon. Réservez la peau et les trognons pour les recettes suivantes. Arrosez les poires avec le jus de citron.

Faites fondre les sucres dans une casserole avec 1,5 l d'eau, les gousses de vanille fendues en deux, le poivre et la citronnelle hachée.

Portez à ébullition, puis ajoutez les poires, baissez le feu et faites cuire 15 minutes.

Laissez refroidir les poires dans le sirop puis égouttez-les. Faites réduire le sirop pendant 15 minutes sur feu vif et filtrez-le.

Servez les poires avec un peu de sirop.

La bonne idée

Ces poires au sirop seront encore meilleures accompagnées d'une crème au mascarpone vanillée.

voir photo P.153

Beignets aux poires

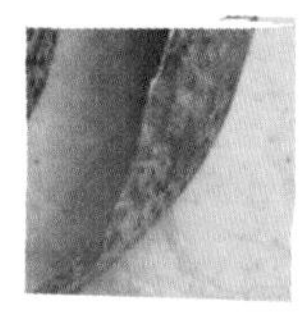

Avec
la peau

Pour 4 personnes
Préparation : 15 min ▪ **Repos** : 1 h ▪ **Marinade** : 30 min
Cuisson : 10 min

- La peau de 6 poires
- 160 g de farine
- 2 œufs
- Le jus de 1/2 citron
- 4 c. à s. de sucre en poudre
- 1/2 sachet de levure
- 1 l d'huile végétale pour friture
- 1 pincée de sel
- Sucre glace

Mélangez la farine, la levure, les jaunes d'œufs, le sel et 20 cl d'eau. Laissez reposer 1 heure.

Disposez la peau des poires dans un plat avec le jus de citron et le sucre ; laissez-les mariner 30 minutes.

Battez les blancs d'œufs en neige ferme et incorporez-les délicatement à la pâte.

Faites chauffer l'huile dans une cocotte sur feu moyen. Égouttez la peau des poires, trempez-les dans la pâte et plongez-les dans le bain de friture par petites quantités. Laissez-les dorer 5 minutes puis égouttez-les sur du papier absorbant.

Saupoudrez de sucre glace et servez chaud.

La bonne idée
Vous pouvez aussi réaliser cette recette avec des pelures de pommes ou de coings.

Jus de poire au gingembre

Avec le jus,
la peau
et le trognon

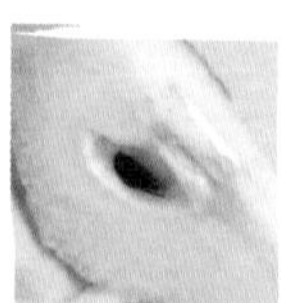

Pour 1 verre
Préparation : 5 min

- La peau et les trognons de 6 à 8 poires
- 1 morceau de gingembre de 1 cm environ
- Le jus de 1/2 citron

Conservez les épluchures de poires au congélateur au fur et à mesure, pour en avoir suffisamment pour réaliser des jus.

Passez les pelures et les trognons à la centrifugeuse avec le gingembre et le jus de citron.

Buvez aussitôt.

Chaussons aux pelures de poires et banane

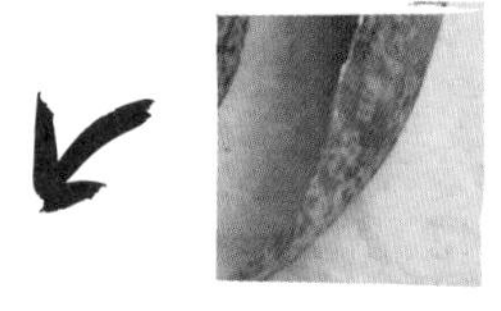

Avec la peau

Pour 3 grands chaussons (ou 6 petits)
Préparation : 15 min ▪ **Cuisson** : 15 min

- 1 pâte feuilletée pur beurre
- La peau de 6 à 8 poires
- 1 banane
- 120 g de sucre roux
- 30 g de beurre
- 1 jaune d'œuf
- 1 sachet de sucre vanillé
- Le jus de 1/2 citron
- 1 c. à c. de poudre pour pain d'épice

Hachez au couteau la peau des poires et faites-la cuire dans une poêle avec le beurre et la banane coupée en morceaux. Ajoutez les sucres, le jus de citron et la poudre pour pain d'épice.

Préchauffez le four à 200 °C (th. 6-7). Faites compoter le mélange poires-banane pendant 5 minutes puis laissez-le refroidir.

Découpez 6 petits cercles dans la pâte feuilletée (ou 3 grands). Déposez 1 cuillerée de compote et repliez la pâte. Scellez bien les bords en appuyant avec vos doigts.

Mélangez le jaune d'œuf avec 1 cuillerée à soupe d'eau et badigeonnez au pinceau les chaussons avant de les enfourner pour 15 minutes.

Dégustez tiède pour un goûter étonnant.

Chutney de poires

Avec la peau

Pour 1 pot
Préparation : 10 min ▪ **Cuisson** : 45 min

- La peau de 8 poires
- Le jus de 1 orange et son zeste
- 3 oignons
- 100 g de sucre roux
- 10 cl de vinaigre de cidre
- 3 c. à s. d'huile d'olive
- 2 c. à s. de raisins secs
- 1 c. à c. de gingembre en poudre
- 1 c. à c. de cumin
- Sel et poivre

Épluchez les oignons et coupez-les en tranches fines.

Prélevez le zeste de l'orange puis pressez-la.

Faites revenir les oignons ciselés dans une casserole à fond épais avec l'huile pendant quelques minutes. Ajoutez la peau des poires, le jus d'orange, le zeste et le reste des ingrédients. Faites cuire à feu doux et à couvert pendant 45 minutes en remuant régulièrement.

Versez dans un pot stérilisé et fermez le couvercle. Laissez refroidir avant de consommer avec une viande blanche ou du foie gras.

Le bon conseil

Vous pouvez conserver ce chutney de poires 2 semaines au frais après ouverture.

AUTOMNE

LA POMME

La pomme se prête volontiers à toutes sortes de recettes et sa peau mérite qu'on s'y intéresse de plus près.

Avec la peau
Apple pie aux pelures de pommes
P.157
Infusion de peaux de pommes séchées
P.160

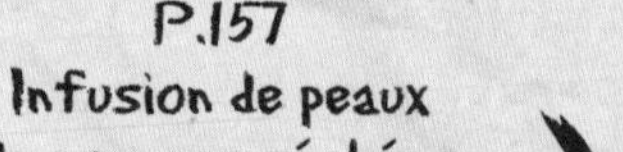

Avec la chair
Tarte aux pommes
P.158

Avec la pulpe
Pancakes à la pulpe de fruits
P.160

Avec le jus
Jus de pomme
P.158

Apple pie aux pelures de pommes

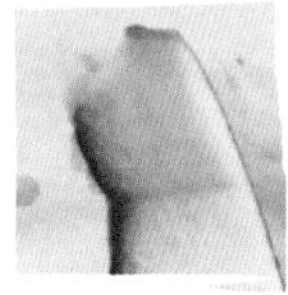

Avec
la peau

Pour 4 personnes
Préparation : 15 min
Cuisson : 45 min

Pour la pâte
- 280 g de farine
- 140 g de margarine
- 80 g de sucre roux
- 45 g de beurre
- 4 c. à s. de lait
- 1/2 c. à c. de sel

Pour la garniture
- 300 g de pelures de pommes
- 100 g de raisins secs
- Le jus de 1 citron
- 5 c. à s. de sucre roux
- 1 c. à c. de cannelle
- 3 c. à s. de noisettes concassées
- 2 c. à s. de rhum

Préparez la pâte en mélangeant la farine avec la margarine et le beurre mou. Ajoutez le lait et le sel, puis formez une boule. Laissez-la reposer au frais.

Élaborez la garniture : mixez grossièrement les pelures de pommes avec le jus de citron. Ajoutez le sucre, la cannelle, les raisins, les noisettes et le rhum.

Préchauffez le four à 180 °C (th. 6). Saupoudrez le plan de travail avec le sucre roux, étalez la pâte dessus, puis découpez 8 disques de 12 cm de diamètre environ avec un emporte-pièce. Piquez-les avec une fourchette, puis foncez 4 petits moules individuels.

Répartissez la garniture dans les moules, puis refermez avec les 4 disques de pâte restants en pinçant les bords. Enfournez pour 40 à 45 minutes.

voir photo P.159

Tarte aux pommes

Avec la chair

Pour 6 personnes
Préparation : 20 min ▪ **Cuisson** : 35 min

Pour la pâte
- 250 g de farine + un peu pour le plan de travail
- 75 g de beurre
- 50 g de peau de lait
- 1 pincée de sel
- 1 c. à s. de sucre
- 1 c. à s. de zeste d'orange

Pour la garniture
- 3 pommes
- Le jus de 1/2 orange
- 50 g de crème de lait
- 15 cl de lait
- 4 c. à s. de sucre en poudre
- 1 œuf
- 1 sachet de sucre vanillé

Préparez la pâte en mélangeant la farine, le sel, le sucre, le beurre mou, la peau de lait et le zeste d'orange. Mélangez bien, puis ajoutez un peu d'eau pour former une boule.

Élaborez la garniture. Épluchez les pommes, réservez les peaux et les trognons pour les recettes suivantes. Congelez-les si vous ne les utilisez pas dans les 2 jours. Coupez la chair en tranches, arrosez de jus d'orange et saupoudrez de sucre.

Préchauffez le four à 180 °C (th. 6). Mélangez dans un saladier l'œuf, la crème et le lait. Égouttez les pommes et versez le jus dans la crème.

Étalez la pâte sur un plan de travail fariné, puis foncez un moule à tarte. Disposez les tranches de pommes sur le fond de tarte, puis versez la crème par-dessus et saupoudrez de sucre vanillé avant d'enfourner pour 35 minutes.

Jus de pomme

Avec le jus

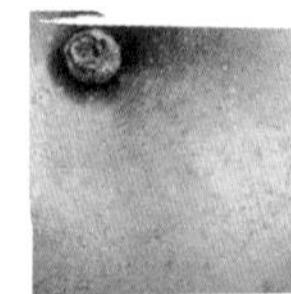

Pour 50 cl
Préparation : 3 min

- 1 pomme rouge
- La peau et les trognons sans pépins de 6 pommes
- La peau de 6 carottes
- Le jus de 1 citron
- 1 cm de gingembre

Lavez la pomme, coupez-la en quatre, puis enlevez les pépins.

Passez tous les ingrédients dans la centrifugeuse et récupérez le jus. Servez aussitôt.

La bonne idée

Gardez tous les pépins de pommes dans une mousseline au congélateur. Vous pourrez les utiliser pour apporter de la pectine naturelle à des gelées de fruits qui en sont dépourvus (fraises, framboises…).

Pancakes à la pulpe de fruits

Avec la pulpe

Pour 14 pancakes
Préparation : 20 min ▪ **Repos** : 30 min ▪ **Cuisson** : 15 min

- 100 g de pulpe de pommes des recettes précédentes
- 225 g de farine
- 50 g de beurre fondu
- 35 g de sucre
- 35 cl de lait
- 1 œuf
- 3 c. à c. de levure chimique
- 1 sachet de sucre vanillé
- 2 pincées de sel
- 1 c. à s. d'huile
- Sirop d'érable ou sucre glace

Fouettez l'œuf avec le lait et le beurre fondu. Ajoutez la farine, la levure, les deux sucres et le sel. Mélangez.

Incorporez, en remuant, la pulpe de fruits, puis laissez reposer 30 minutes.

Chauffez une grande poêle et huilez-la légèrement. Déposez plusieurs petites louches de pâte, assez distantes les unes des autres. Laissez-les cuire 2 minutes d'un côté, puis 1 minute de l'autre.

Servez chaud avec du sirop d'érable ou du sucre glace.

Infusion de peaux de pommes séchées

Avec la peau

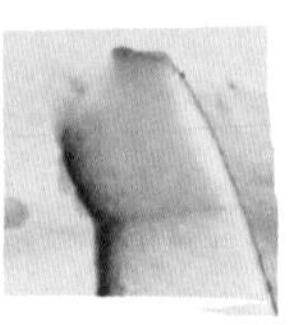

Pour 1 bocal de peaux séchées
Préparation : 15 min ▪ **Cuisson** : 3 h

- La peau de 10 pommes non traitées
- 2 sachets de sucre vanillé
- 1 bâton de cannelle

Préchauffez le four à 80 °C (th. 2-3) ou 100 °C (th. 3-4). Lavez les pommes, essuyez-les puis épluchez-les avec un économe.

Disposez les peaux sur une plaque allant au four recouverte de papier cuisson. Saupoudrez de sucre vanillé. Enfournez pour 3 heures environ, en remuant toutes les heures afin de laisser s'échapper la vapeur et pour qu'elles sèchent uniformément.

Laissez refroidir ensuite à l'air libre. Rangez-les dans un bocal avec la cannelle. Fermez hermétiquement. Placez-le dans un endroit à l'abri de la lumière.

Prélevez une poignée de peaux séchées et placez-les dans une tisanière. Versez de l'eau bouillante et laissez infuser 5 minutes avant de servir.

de
POMMES

AUTOMNE

LE RAISIN

Chasselas, muscat, cardinal : tous les raisins sont bons. Même les résidus de ce fruit sont gorgés de vitamines et peuvent être utilisés dans des recettes !

Jus de raisin

Avec
le jus

Pour 50 cl de jus
Préparation : 10 min

- 2 grappes de raisin chasselas
- 1 grappe de raisin noir
- 1 grappe de raisin blanc
- 1 pomme
- Le jus de 1/2 citron

Lavez les grappes de raisin puis égrenez-les. Coupez la pomme en quatre et ôtez le trognon. Supprimez les raisins abîmés puis passez-les à la centrifugeuse. Ajoutez la pomme et le jus de citron.

Récupérez les résidus dans la centrifugeuse et congelez-les si vous ne les utilisez pas immédiatement pour éviter qu'ils ne s'oxydent.

Servez aussitôt le jus, coupé d'un peu d'eau si nécessaire.

Tuiles aux raisins

Avec
les résidus
de la centrifugeuse

Pour 20 tuiles
Préparation : 15 min ▪ **Repos** : 1 h ▪ **Cuisson** : 35 min

- 3 c. à s. de résidus de raisin et de pomme de la centrifugeuse
- 75 g de sucre en poudre
- 20 g de farine
- 20 g de beurre
- 2 blancs d'œufs

Étalez les résidus de raisin et de pomme sur une plaque allant au four recouverte de papier cuisson. Enlevez les pépins trop gros et faites-les sécher 30 minutes dans un four à 100 °C (th. 3-4).

Faites fondre le beurre au four à micro-ondes et laissez-le refroidir.

Fouettez légèrement les blancs d'œufs avec le sucre jusqu'à ce qu'ils moussent, ajoutez alors le beurre fondu tout en continuant à fouetter, ainsi que la farine. Laissez reposer 1 heure au frais.

Préchauffez le four à 200 °C (th. 6-7). Ajoutez les résidus de raisin à la pâte, puis mélangez. Disposez des cuillerées de pâte sur une plaque recouverte de papier cuisson. Enfournez pour 5 à 10 minutes.

Sortez la plaque lorsque les bords des tuiles se colorent. Décollez-les rapidement et donnez-leur une forme sur un rouleau à pâtisserie. Conservez-les dans une boîte en métal ou dégustez-les tout de suite.

voir photo P.165

Cookies aux peaux de raisin, vanille et noix de pécan

Avec
la peau

Pour 20 cookies
Préparation : 10 min
Cuisson : 15 min x 2

- 150 g de peaux de raisins pressés
- 100 g de noix de pécan
- 150 g de farine
- 150 g de sucre roux
- 125 g de beurre mou
- 1 œuf
- 1 c. à c. de bicarbonate
- 1 c. à c. d'extrait de vanille
- 1 pincée de sel

Mélangez vivement le beurre, le sucre et le sel, ajoutez l'œuf, la farine, le bicarbonate, les peaux de raisin, les noix grossièrement hachées et la vanille.

Préchauffez le four à 160 °C (th. 5-6). Disposez des cuillerées de pâte sur une plaque recouverte de papier cuisson et enfournez pour 20 minutes.

Disposez les cookies sur une grille dès la sortie du four pour qu'ils refroidissent et durcissent.

Refaites une fournée avec le reste de pâte.

Le bon conseil

Ces cookies se conservent 2 à 3 jours dans une boîte hermétique, mais ils sont encore meilleurs lorsqu'ils sont dégustés tièdes !

LES PRODUITS LAITIERS ET LES ŒUFS

Nous gaspillons trop à cause de dates de consommation inadaptées : les yaourts périmés sont utilisables jusqu'à un mois après la date inscrite sur l'emballage.

Gâteau au yaourt fourré à la confiture

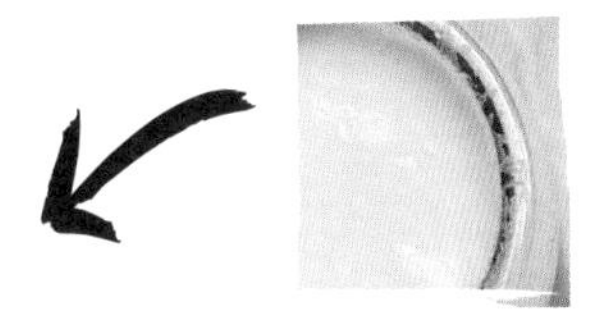

Avec un yaourt

Pour 6 personnes
Préparation : 20 min
Repos : 1 h
Cuisson : 30 min

- 1 pot de yaourt nature périmé depuis moins de 1 mois
- 3 pots de farine
- 2 pots de miel
- 1 sachet de sucre vanillé
- 1/2 pot de beurre salé fondu + 1 noix pour le moule
- 3 œufs
- 1/2 sachet de levure chimique
- 100 g de confiture de framboises

Préchauffez le four à 180 °C (th. 6).

Mélangez dans un saladier le yaourt, le miel, le sucre vanillé, les œufs et le beurre fondu. Ajoutez la farine et la levure tamisées ensemble, puis mélangez bien.

Beurrez un moule à manqué, puis versez la préparation et enfournez pour 30 minutes. Laissez reposer un instant avant de démouler sur une grille, puis laissez refroidir.

Coupez le gâteau en deux horizontalement. Nappez la base de confiture, puis reposez l'autre moitié par-dessus. Coupez en parts et servez aussitôt.

Pâte à tarte aux petits-suisses périmés

Avec les petits-suisses

Pour 1 tarte
Préparation : 15 min ▪ **Réfrigération** : 1 h ▪ **Cuisson** : 15 min

- 2 petits-suisses (110 g) périmés depuis moins de 1 mois
- 110 g de beurre salé mou
- 110 g de farine + un peu pour le plan de travail

Mélangez les petits-suisses avec le beurre et la farine, formez une boule en ajoutant un peu de farine si la pâte est trop collante. Enveloppez la boule dans du film alimentaire et réservez au frais pour 1 heure.

Préchauffez le four à 180 °C (th. 6).

Étalez la pâte finement, à l'aide d'un rouleau, sur un plan de travail fariné en rajoutant de la farine au fur et à mesure, si besoin.

Foncez un moule à tarte. Recouvrez la pâte de papier sulfurisé, ajoutez des billes de cuisson et enfournez pour 15 minutes.

La bonne idée

Selon votre goût, agrémentez cette pâte précuite de fruits, de crème d'amande, de chocolat... et faites-la cuire à nouveau 15 minutes.

Pets-de-nonne au fromage blanc périmé

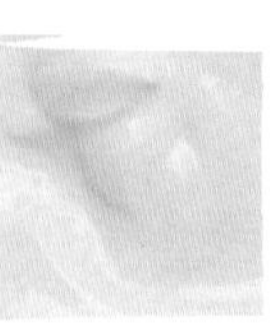

Avec le fromage blanc

Pour 6 personnes ▪ **Préparation** : 15 min ▪ **Cuisson** : 15 min

- 100 g de fromage blanc périmé depuis moins de 1 mois
- 250 g de farine
- 1 gros œuf
- 75 g de sucre en poudre
- 1 sachet de sucre vanillé
- 1/2 sachet de levure chimique
- 4 c. à s. de beurre fondu (45 g)
- 1 l d'huile pour friture
- Sucre glace pour servir

Fouettez l'œuf avec les sucres au batteur pendant 30 secondes, puis ajoutez le beurre fondu et le fromage blanc. Mélangez, puis incorporez la farine et la levure tamisées ensemble.

Faites chauffer l'huile dans une casserole puis déposez-y des cuillerées de pâte délicatement. Laissez dorer les beignets pendant quelques minutes, ils vont se retourner tout seuls. Égouttez-les avec une écumoire puis déposez-les sur du papier absorbant.

Saupoudrez les pets-de-nonne de sucre glace et servez tiède.

Pets-de-nonne
au fromage blanc périmé

Crème brûlée au chocolat

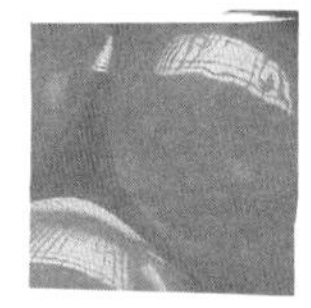

Avec
les jaunes
d'œufs

Pour 6 personnes
Préparation : 15 min ▪ **Cuisson** : 50 min ▪ **Réfrigération** : 12 h

- 4 jaunes d'œufs
- 35 cl de crème fleurette entière
- 10 cl de lait entier
- 100 g de chocolat noir
- 60 g de sucre en poudre
- 6 c. à s. de sucre roux pour la finition

Faites frémir la crème et le lait dans une petite casserole. Hachez le chocolat au couteau, puis versez la crème chaude dessus et mélangez jusqu'à ce que le chocolat soit bien fondu.

Préchauffez le four à 110 °C (th. 3-4).

Fouettez les jaunes d'œufs avec le sucre en poudre au batteur jusqu'à ce que le mélange blanchisse. Ajoutez la crème au chocolat et mélangez bien.

Répartissez la crème obtenue dans 6 moules à crème brûlée et enfournez sur une plaque pour 45 minutes.

Laissez refroidir à la sortie du four, puis filmez les ramequins et réservez-les au frais pour 12 heures.

Saupoudrez de sucre roux et placez-les sous le gril du four pour quelques minutes. Dégustez aussitôt.

Visitandines

Avec
les blancs
d'œufs

Pour 1 trentaine de biscuits
Préparation : 15 min ▪ **Cuisson** : 15 min ▪ **Repos** : 1 h

- 4 blancs d'œufs
- 150 g de sucre glace
- 175 g de beurre salé mou
+ un peu pour les moules
- 150 g de poudre d'amandes complète
- 75 g de farine
- 3 gouttes d'extrait d'amande amère

Mélangez la farine, le sucre glace et la poudre d'amandes. Ajoutez le beurre mou et mélangez, puis ajoutez les blancs d'œufs et l'extrait d'amande amère. Fouettez énergiquement pendant quelques minutes. Laissez reposer la pâte 30 minutes.

Préchauffez le four à 190 °C (th. 6-7).

Beurrez des petits moules ronds à visitandines ou des moules à financiers. Répartissez-y la pâte et enfournez pour 15 minutes.

Démoulez les biscuits sur une grille et laissez-les refroidir avant de servir.

Visitandines

Matériel pour tirer parti au mieux des ingrédients

Pour réussir les recettes de ce livre, il vous faut un peu de matériel : rien d'extraordinaire, mais quelques outils spécifiques et indispensables afin de profiter pleinement de tout ce que vous ne jetterez pas.

Un presse-purée avec grilles fine et moyenne
Un mixeur plongeant + un petit mixeur-bol
Un batteur
Une centrifugeuse
Une balance (électronique si possible)
Un cuit-vapeur en bambou ou en inox (évitez l'aluminium !)
Une passoire fine pour filtrer
Une mandoline
Une râpe (à gros et petits trous)
Des moules et des emporte-pièces
Un rouleau à pâtisserie
Une écumoire
Un chinois
Un épluche-légumes
Des bocaux en verre avec couvercles à vis ou joints en caoutchouc
Des pots de confiture
Des sachets en cellophane avec liens
Du papier cuisson (ou papier sulfurisé)

Bien choisir ses fruits et légumes

Utilisez de préférence des produits issus de l'agriculture biologique, car c'est dans la peau que se fixent tous les pesticides et autres traitements.

Respectez les saisons ! Cela vous permettra de payer les produits moins cher, de profiter de leurs saveurs, en évitant ainsi de consommer des fruits et des légumes sans goût et gorgés d'eau, et de respecter la nature.

Choisissez des fruits mûrs, mais pas trop, et des légumes de première fraîcheur, en vérifiant qu'ils ne sont ni flétris ni tachés. Consommez-les rapidement sans les laisser longtemps dans le réfrigérateur : ils auront une meilleure qualité gustative et conserveront un maximum de vitamines.

Conseils de cuisson

Ne faites pas cuire trop longtemps les fruits et les légumes afin de leur conserver un peu de croquant et de préserver leurs vitamines et sels minéraux. Pensez à privilégier les cuissons à la vapeur pour éviter que les vitamines et nutriments ne s'échappent dans l'eau de cuisson.

Il est parfois nécessaire de faire cuire dans plusieurs eaux certains fruits et légumes pour enlever leur amertume. C'est le cas notamment des agrumes et des artichauts.

Il sera souvent utile d'ajouter 1 cuillerée à café de bicarbonate de soude dans l'eau de cuisson afin de rendre plus digeste certains ingrédients, et surtout leur peau : c'est le cas notamment des fèves et des cosses de petits pois. Cela permet aussi de conserver leur couleur.

Conseils de conservation

Pour conserver quelques jours les fruits et les légumes, enveloppez-les dans du papier et placez-les dans le bas du réfrigérateur.

Ébouillantez pendant 5 minutes les bocaux en verre et leurs couvercles en métal ou les joints de caoutchouc. Laissez-les s'égoutter sur un torchon propre sans les essuyer. Remplissez-les ensuite de la préparation et refermez les couvercles aussitôt. Stockez-les au frais ou à l'abri de la lumière, selon les recettes. Lorsque vous ouvrez un pot, entreposez-le au frais et consommez-le rapidement.

Conservez les biscuits dans des boîtes hermétiques afin qu'ils gardent tout leur croquant.

Si une confiture a un peu tourné, faites-la recuire 5 à 10 minutes puis versez-la dans un pot propre et stérilisé et consommez-la dans les jours qui suivent.

Astuces en plus

- Si un gâteau a séché ou un biscuit s'est ramolli, pensez à l'utiliser comme un crumble.
- La peau du lait peut remplacer en partie le beurre dans des pâtes à tarte.
- Toutes les écumes de confiture peuvent servir à garnir des fonds de tarte aux fruits ou parfumer des gâteaux ou des yaourts.
- Les tiges, fanes et feuilles des oignons ou des herbes un peu flétries peuvent servir à confectionner des bouquets garnis savoureux.
- Les pelures sèches des oignons peuvent être réduites en poudre pour parfumer soupes et autres préparations.

« Dans le doute, abstiens-toi ! »

Tout n'est pas bon à manger. Certaines parties de plantes sont toxiques et d'autres pas franchement intéressantes à cuisiner. Voici une petite liste non exhaustive de produits à oublier :

Les feuilles de rhubarbe
Les noyaux d'abricot, pêche, cerise…
Les feuilles dures des artichauts
La peau crue des pommes de terre
Les peaux de banane
Les peaux de fruits exotiques comme les mangoustans, ramboutans, litchis, fruits de la Passion, mangue, sharon (variété de kaki), etc.
La peau et le noyau des avocats
Les pépins de raisin
Les bogues des noix et châtaignes
Les coquilles des fruits à coques
Les feuilles et tiges extérieures des cardons

Table des recettes par ingrédient

Directeur éditorial : Didier Férat
Édition : Émeline Gontier
Graphisme et conception : Julia Philipps
Photogravure : Chromostyle
Fabrication : Laurence Dubosq

ISBN : 978-2-263-16156-8
Code éditeur : L16156/02
Dépôt légal : novembre 2019
Imprimé en France par Sepec - 07781191007